기독교의 기본 진리

존 스토트 지음 | 황을호 옮김

생명의말씀사

Basic Christianity
by John R.W. Stott

Korean Edition published by Word of Life Press, Seoul, 1962, 2003.
Translated and published by permission.
Printed in Korea.

기독교의 기본 진리

1962년 8월 1일 1판 1쇄 발행
1988년 10월 30일 16쇄 발행
1993년 10월 20일 2판 8쇄 발행
2003년 1월 30일 3판 36쇄 발행
2003년 4월 20일 4판 3쇄 발행
2007년 5월 25일 5판 29쇄 발행

펴 낸 이 김창영
펴 낸 곳 생명의말씀사
등 록 1962. 1. 10. No.300-1962-1
주 소 110-101 서울 종로구 송월동 32-43
전 화 (02)738-6555(본사), (02)3159-7979(영업부)
팩 스 (02)739-3824(본사), 080-022-8585(영업부)

기획편집 윤나영, 강민정
디 자 인 박소정
제 작 신기원, 오인선
마 케 팅 이지은, 박혜은, 선승희
영 업 박재동, 김창덕, 김규태, 이성빈, 김덕현
인 쇄 영진문원
제 본 정문바인텍

ISBN 89-04-10070-4

기독교의 기본 진리

머리말

"교회는 반대, 예수 그리스도는 찬성"이란 말은 오늘날 수많은 사람들, 특히 젊은 사람들의 기독교에 대한 자세를 잘 보여 준다.

사람들은 제도화의 기미가 있는 것은 무엇이든지 반대한다. 확립된 질서와 그것에 따르는 절대적인 특권을 혐오하는 것이다. 그래서 그들은 교회도 배척하는데-전혀 타당성이 없는 것도 아니다-교회가 이러한 악들로 극히 타락했다고 여기기 때문이다.

하지만 그들이 배척하는 것은 현대 교회이지 예수 그리스도가 아니다. 그들이 그처럼 교회에 대해 비판적이고 냉정한 것은 기독교의 창시자와 그가 세운 교회의 현 상태 사이에서 모순을 발견하기 때문이다.

그러나 예수님과 그의 가르침은 여전히 매력을 잃지 않고 있다. 그 한 가지 이유는, 예수님은 반제도적인 인물로 그의 말 가운데 혁명적인 색채를 띤 부분이 있었고, 또한 사상이 결코 부패하지 않을 것 같았기 때문이다. 그는 어느 곳에서든지 사랑과 평화가 넘치게 하였다. 또 다른 이유는 자신이 가르친 것을 어김없이 실행했기 때문이다.

하지만 그는 진실한 존재인가?

오늘날도 전세계의 수많은 사람들이 그리스도와 기독교의 진리를 인정하는 가정에서 양육되고 있다. 그러나 그들에게 비판능력이 생기고 스스로 생각하기 시작하면, 어릴 때부터 가져 온 신앙의 증거를 찾으려고 노력을 하는 것보다는 신앙 자체를 버리는 편이 쉽다는 것을 발견한다.

한편, 매우 많은 사람들이 기독교적인 환경에서 성장하지 않는다. 대신 그들은 힌두교, 불교, 이슬람교, 인본주의적 풍조, 공산주의 또는 실존주의 등의 가르침을 받는다.

그러나 기독교적인 환경에서 자란 사람이든 그렇지 않은 사람이든, 일단 예수님에 대한 글을 읽게 되면 쉽게 지나쳐 버릴 수 없는 매력이 예수님께 있음을 발견하게 된다.

그래서 우리는 나사렛 예수라는 역사상의 인물에서부터 출발한다. 그는 분명히 지구상에 살았다. 여느 사람처럼 태어났고, 자랐으며, 일하고 땀 흘리고 쉬고 잠을 잤다. 또한 먹고 마셨으며 고생하다가 죽었다. 그는 인간의 몸과 인간의 감정을 가지고 있었다.

그렇지만 우리가 어떤 면에서 그가 "하나님"이었다는 사실을 진정으로 믿을 수 있을까? 예수님의 신성(神性)은 차라리 허울 좋은 기독교 미신이 아닐까? 나사렛의 목수가 하나님의 독생자라는 기독교의 놀라운 주장에는 어떤 증거가 있는 것일까?

이 질문은 매우 중요하므로 그냥 지나쳐 버려서는 안 된다. 우리는 정직해야 한다. 만일 예수님이 육체로 오신 하나님이 아니라면 기독교는 박살이 난다. 기독교는 단지 몇 가지 아름다운 사상과 고상한 윤리를 지닌 하나의 평범한 종교가 되어 그 독특성이 사라지고 마는 것이다.

그러나 예수님의 신성에 대한 증거는 엄연히 존재한다. 이 증거는 강력하고 역사적이고 갈수록 분명해지며, 정직한 사람이 지적 자살을 하지 않고도 동의할 수 있다.

예수님은 자신에 대해 터무니없어 보이는 주장을 했다. 그는 담대하고 그러면서도 겸손했다. 그의 인격은 무엇과도 비교할 수 없다. 그는 마치 다른 세계에서 온 방문자처럼 행동했다. 그의 굳셈과 온유함, 타협을 모르는 의와 부드러운 자비, 어린이에 대한 관심과 버림받은 자들에 대한 사랑, 자제력과 자기희생 등은 세상의 찬사를 받았다. 그러나 무엇보다 중요한 것은 그의 참혹한 죽음이 마지막이 아니었다는 사실이다. 그는 죽음에서 부활했다고 주장되고 있으며, 그의 부활에 대한 자세한 증거는 누구도 부정할 수 없다.

예수님이 하나님의 아들이라고 가정하자. 기독교의 기본 진리란 단순히 이 진리에 동의하는 것일까? 아니다. 일단 그리스도의 신성을 믿는다면 그가 한 일의 본질을 자세히 살펴보아야 한다. 그가 세상에 온 목적은 무엇일까? 성경은 그가 "죄인을 구원하려고 세상에 왔다"고 대답한다. 나사렛 예수는 우리 죄인들에게 필요한 하늘이 보낸 구세주이다.

우리는 죄 사함을 얻어서 우리의 죄로 인해 단절되어 있는 지극히 거룩하신 하나님과의 교제를 회복해야 한다. 우리는 이기심으로부터 해방되어 우리의 이상대로 살 수 있는 힘을 얻어야 한다. 친구든 원수든 똑같이 사랑하는 법을 배워야 한다. 이것이 "구원"의 의미이다. 바로 이것이 그리스도께서 죽으시고 부활하심으로 이루어 놓으신 것이다.

그렇다면 기독교의 기본 진리란 예수님이 세상의 구주가 되기 위해 오신 하나님의 아들이라는 것을 믿는 것일까? 아니다. 그것만도 아니다. 그리스도의 신성을 인정하는 것, 인간이 구원받아야 함을 인정하는 것, 그리스도의 구원 사역을 믿는 것만으로는 충분하지 않다. 기독교는 단순히 교리에 그치는 것이 아니다. 행동이 따라야 한다. 우리의 지적 신앙이 비판의 여지가 없는 완벽한 것일 수도 있다. 그러나 우리는 신앙을 행동으로 옮겨야 한다.

그러면 어떻게 해야 하는가? 우리는 우리 자신, 마음과 생각, 정신과 의지, 가정과 삶을 개인적으로 남김없이 예수 그리스도께 드려야 한다.

그분 앞에서 자신을 낮추고, 그리스도를 나의 구주로 의뢰하며 나의 주님으로 인정해 굴복해야 한다. 그런 다음에는 계속해서 교회에 충성하는 교인이 되고, 지역 사회에서는 책임 있는 시민이 되어야 한다.

이것이 기독교의 기본 진리이며, 본서의 주제이다. 그러나 예수 그리스도의 신성에 대해 살펴보기 전에 첫 장에서는 올바른 접근 자세를 살펴보는 것이 필요하리라 생각된다. 기독교의 주장은 우리가 예수 그리스도를 통해 하나님을 만날 수 있다는 것이다. 만일 우리가, 하나님께서 친히 우리를 찾고 계신다는 사실과 우리 자신이 하나님을 찾아야 한다는 사실을 깨닫는다면 이 주장을 확인하는 데 도움이 될 것이다.

| 목 차 |

기독교의 기본진리

PART THREE | 그리스도께서 하신 일

PART FOUR | 인간이 해야 할 일

1

올바른 접근

“태초에 하나님이” 이것은 누구나 다 아는 성경의 첫 구절이다. 이 구절은 천지 창조의 이야기나 창세기의 도입부 이상의 의미를 지니고 있다. 성경 전반을 이해하게 하는 열쇠를 제공해 줄 뿐만 아니라, 성경의 종교는 하나님께서 시작하신 종교임을 말해 주는 것이다.

당신은 하나님을 기습할 수 없다. 결코 하나님보다 앞설 수 없다. 항상 하나님께서 먼저 행하신다. 그분은 “태초에” 거기 계신다. 인간이 생기기 전 하나님께서는 활동하셨다. 인간이 하나님을 찾으려고 하기 전 하나님께서는 인간을 찾으셨다. 성경에서 우리는 하나님께서 인간을 찾아오시는 것을 보지, 인간이 하나님을 찾는 것을 보지 못한다.

많은 사람들은 하나님을, 먼 곳에 있는 보좌에 편안히 앉아 인간의 필요에는 개의치 않고 무관심하게 동떨어져 있다가 인간의 간청에 못 이겨 행동을 취하는 분으로 상상한다. 그러나 이것은 아주 그릇된 견해이다. 성경이 보여 주는 하나님은, 인간이 아직 어둠 속에 묻히고 죄에 빠져 하나님께 돌아갈 생각을 하기도 훨씬 전에, 보좌에서 일어나 영광을 버리시고 자신을 낮추사 인간을 찾으시는 하나님이시다.

이 하나님의 주권적이고 주도적인 행위는 여러 방법으로 나타난다. 그분은 창조 때에 주도권을 잡으셔서 우주 만물을 생기게 하셨다. "태초에 하나님이 천지를 창조하시니라"(창 1:1). 그분은 계시에서도 주도권을 잡으셔서 자신의 성품과 뜻을 인류에게 알리셨다. "옛적에 선지자들로 여러 부분과 여러 모양으로 우리 조상들에게 말씀하신 하나님이 이 모든 날 마지막에 아들로 우리에게 말씀하셨으니"(히 1:1-2). 그분은 또 구원에서도 주도권을 잡으셔서 인간을 죄로부터 자유하게 하시려고 예수 그리스도로 오셨다. "하나님이여 그 백성을 돌아보사 속량하시며"(눅 1:68).

하나님께서 창조하셨다. 하나님께서 말씀하셨다. 하나님께서 행동하셨다. 하나님께서 주도권을 행사하신 이 세 가지 영역에 관한 진술은 성경의 신앙을 요약한 것이다. 본서에서 관심을 두는 것은 둘째 및 셋째 영역인데, 그것은 기독교가 예수 그리스도라는 역사상의 인물에서 시작되기 때문이다. 하나님께서 말씀하셨다면, 세상을 향한 그의 최후이자 가장 위대한 말씀은 예수 그리스도이다. 하나님께서 행하셨다면, 그의 가장 숭고한 행위는 예수 그리스도를 통한 세상의 구속이다.

하나님께서는 예수 그리스도를 통해 말씀하셨고 행하셨다. 하나님께서는 무엇인가 말씀하셨고 무엇인가 행하셨다. 이것은 기독교가 단지 경건한 말로 그치는 것이 아님을 의미한다. 기독교는 종교 사상들을 모아 놓은 것이 아니다. 규칙이나 일련의 도덕적 훈계들을 모아 놓은 것도 아니다. 기독교는 "복음", 즉 "좋은 소식"이다.

그것은 사도 바울이 기록한 것처럼 "예수 그리스도, 그의 아들에 관한 하나님의 복음"이다(롬 1:1-4 참조). 이는 인간에게 무엇을 해달라고 보내 온 초대장과는 근본적으로 다르다. 인간을 위해 하나님께서 그리스도 안에서 이루신 것에 대한 최고의 선언이다.

하나님께서 말씀하셨다

인간은 무한히 의문을 갖는 피조물이다. 인간의 마음이 그렇게 만들어졌기 때문에 그만둘 수가 없다. 인간은 항상 미지의 세계를 파고든다. 지칠 줄 모르는 정력으로 지식을 추구한다. 인간의 삶은 발견을 위한 항해이다. 그는 항상 의문을 갖고 탐구하고 조사하고 연구한다. 그칠 줄 모르는 "왜?"에서 벗어날 줄 모른다.

그런데 인간의 생각이 하나님께 이르게 되면 좌절감을 느낀다. 어둠 속에서 더듬거리며 찾는 것이다. 인간은 그 어둠의 심연에서 몸부림친다. 이것은 이상한 일이 아니다. 하나님께서는 어떠한 분이시든 어하간 영원불멸하는 분이신 데 반하여, 인간은 유한하고 반드시 멸망할 수밖에 없는 피조물이기 때문이다.

하나님께서는 모든 면에서 우리의 이해 차원을 넘어선 분이시다. 그래서 우리의 지성이 다른 과학 영역에서 아무리 놀랍고 효과적인 도구라 하더라도 이 부분에서는 전혀 도움이 되지 못한다. 우리의 지성은 하나님의 무한하신 생각에까지 오르지 못한다. 오르는 사다리가 없는 것이다. 다만 무한히 깊고 넓은 심연만 있을 뿐이다. "네가 하나님의 오묘(깊음)를 어찌 능히 측량하며 전능자를 어찌 능히 온전히 알겠느냐"(욥 11:7). 욥은 그것이 불가능하다고 결론지었다.

만일 하나님께서 이 문제를 해결하려고 주도권을 행사하지 않으셨다면 사태는 그대로 남아 있었을 것이다. 인간은 영원히 어쩔 수 없는 불가지론자가 되어 본디오 빌라도처럼 "진리가 무엇이냐"(요 18:38) 물으면서도 대답을 기대할 수 없었을 것이다. 인간이 감히 대답받을 것을 바랄 수도 없기 때문이다. 인간은 본성으로 인해 예배자가 되겠지만, 모든 제단에는 "알지 못하는 신에게"(행 17:23)라고 새겨져 있을 것이다.

그러나 하나님께서 말씀하셨다. 하나님께서 먼저 자신을 나타내셨다. 기독교의 계시 교리는 근본적으로 합리적임이 이제 드러난다. 하나님께서는 그렇지 않았더라면 인간에게 감춰져 있었을 것을 드러내 보이셨다.

하나님의 계시의 한 부분은 자연을 통한 것이다.

"하늘이 하나님의 영광을 선포하고 궁창이 그 손으로 하신 일을 나타내는도다." 시 19:1

"하나님을 알 만한 것이 저희 속에 보임이라 하나님께서 이를 저희에게 보이셨느니라 창세로부터 그의 보이지 아니하는 것들 곧 그의 영원하신 능력과 신성이 그 만드신 만물에 분명히 보여 알게 되나니 그러므로 저희가 핑계치 못할지니라." 롬 1:19-20

이것을 보통 하나님의 "일반" 계시 또는 "자연" 계시라고 한다. 그러나 이것만으로는 충분하지 않다. 자연 계시는 하나님께서 계신다는 것과 하나님의 신성한 능력, 영광, 신실하심을 분명히 알려준다. 그러나 인간이 하나님을 개인적으로 알고, 죄를 용서받아 하나님과 교제하려면 아직 이보다 더 친밀하고 실제적인 계시가 필요하다.

인간이 필요로 하는 하나님의 자기 계시는 반드시 하나님의 거룩하심, 사랑, 죄에서 구원하는 능력을 포함해야 한다. 하나님께서는 이것 역시 기쁘게 주셨다. 이것은 특별한 사람들(구약의 예언자들과 신약의 사도들)을 통해 특별한 민족(이스라엘)에게 주어졌기 때문에 "특별" 계시라고 한다.

이는 또한 "초자연적" 계시라고도 하는데, 보통 "영감"inspiration이라고 불리는 과정을 통해 주어지며 주로 하나님의 아들 예수 그리스도와 그가 하신 일 속에서 나타나기 때문이다.

성경이 이 계시를 설명하고 기술하는 방법이 하나님께서 "말씀하셨다"라고 하는 것이다. 우리는 다른 사람이 말을 할 때 그의 마음 속에 있는 것을 가장 잘 알 수 있다. 우리는 말을 통해 마음을 표현한다. 이것은 자신의 무한한 마음을 유한한 우리 마음에 나타내 보이기 원하셨던 하나님께는 더 더욱 그렇다. 하늘이 땅보다 높은 것 같이 하나님의 생각이 우리 생각보다 높으므로(사 55:9), 하나님께서 생각을 말로 표현해 주시지 않는 한 우리는 결코 그것을 알 수 없기 때문이다. 그래서 많은 예언자들에게 "주의 말씀이 임하셨고" 마침내는 예수 그리스도가 오셨다. 그리하여 "말씀이 육신이 되어 우리 가운데 거하셨다"(요 1:1, 14).

사도 바울도 이와 비슷한 말을 고린도 교회에 했다. "하나님의 지혜에 있어서는 이 세상이 자기 지혜로 하나님을 알지 못하는 고로 하나님께서 전도의 미련한 것으로 믿는 자들을 구원하시기를 기뻐하셨도다"(고전 1:21). 하나님을 알게 되는 것은 인간의 지혜가 아니라 하나님의 말씀("우리가 전도 하는 것")을 통해서이며, 인간의 이성이 아니라 하나님의 계시를 통해서이다. 하나님께서 그리스도를 통해 자신을 알려 주셨기 때문에, 그리스도인은 불가지론자와 이교도에게 담대하게 나아가 사도 바울이 아레오바고에서 아덴 사람들에게 말한 것같이 "그런즉 너희가 알지 못하고 위하는 그것을 내가 너희에게 알게 하리라”(행 17:23)고 말할 수 있다.

과학과 종교간의 논쟁 중 대부분은 이 점을 이해하지 못하는 데서 생긴다. 과학적 방법은 대개 종교 영역에는 부적합하다. 과학 지식은 관찰과 실험을 통해 발전한다. 그것은 육체적 오관에 의해 제공되는 자료에는 잘 들어맞는다. 그러나 형이상학적인 것에 접근할 때는 유용한 자료가 없다. 하나님은 오늘날 볼 수도, 만질 수도, 들을 수도 없다. 그러나 한때 하나님은 보고 만질 수 있는 육체를 입고 말씀하셨다. 그래서 요한은 첫 서신을 이런 주장과 함께 시작했다. “태초부터 있는 생명의 말씀에 관하여는 우리가 들은 바요 눈으로 본 바요 주목하고 우리 손으로 만진 바라……우리가 보고 들은 바를 너희에게도 전함은……”(요일 1:1, 3).

하나님께서 행하셨다

기독교의 복음은 하나님께서 말씀하셨다는 선언에 국한되지 않는다. 복음은 하나님께서 행하셨다는 것도 확언한다.

하나님께서 이 두 가지 방법으로 주도권을 행사하신 것은 인간 때문이다. 우리 인간은 무지하기도 하지만 또한 죄에 빠져 있다. 그러므로 하나님께서 자신을 보여 주셔서 우리의 무지를 몰아내는 것만으로는 불충분하다. 행동도 하셔서 우리를 죄에서 구원하셔야 하는 것이다.

그래서 하나님께서는 구약 시대부터 몸소 구원하시기 시작했다.

아브라함을 갈대아 우르에서 부르셔서 그와 그 후손들이 한 민족을 이루게 하셨고, 애굽의 종살이에서 건져 내셨으며, 시내산에서 그들과 언약을 맺으셨고, 광야를 거쳐 약속의 땅으로 인도하셨다. 그들을 특별한 백성으로 이끄시고 가르치셨다.

그러나 이 모든 것은 그리스도를 통한 구속이라는 더 위대하신 행위를 위한 준비에 불과했다. 사람들에게 필요했던 것은 애굽의 종살이나 바벨론의 포로 생활로부터의 구원이 아니라 바로 죄로부터의 구원이다. 이것이 바로 그리스도가 오신 주된 이유이다. 그는 구세주로 오셨다.

"이름을 예수라 하라 이는 그가 자기 백성을 저희 죄에서 구원할 자이심이라."마 1:21

"미쁘다 모든 사람이 받을 만한 이 말이여 그리스도 예수께서 죄인을 구원하시려고 세상에 임하셨다 하였도다."딤전 1:15

"인자의 온 것은 잃어버린 자를 찾아 구원하려 함이니라."눅 19:10

그는 양떼로부터 떨어져 나간 길 잃은 단 한 마리의 양을 끝내는 찾고 마는 목자와 같은 분이다(눅 15:3-7).

기독교는 구원의 종교이다. 세계 어느 종교에도 길 잃은 죄인들을 사랑하셔서 찾아오시고 대신 죽으신 하나님의 이 메시지와 견줄 만한 것은 없다.

인간의 응답

하나님께서 말씀하셨다. 하나님께서 행하셨다. 하나님의 말씀과 행위와 해석은 성경에서 발견된다. 그것들이 성경에 있는 이유는 많은 사람들을 위해서이다. 그것들에 관한 한 하나님께서 말씀하신 것과 행하신 것은 과거 역사에 속한다. 그러나 그것은 과거의 역사에서 우리의 현재 체험으로 바뀌어야 한다. 반드시 성경에서 나와 우리의 삶 속으로 들어와야 한다.

하나님께서 말씀하셨다. 그러나 우리가 그분의 말씀을 들은 적이 있는가? 하나님께서 행하셨다. 그러나 우리가 그분의 행위를 통해 어떤 이익을 얻었는가?

우리가 반드시 해야 할 일이 앞으로 전개될 것이다. 현 단계에서는 단 한 가지만 하면 된다. 하나님을 찾으라. 하나님께서는 우리를 찾으셨고, 지금도 찾고 계신다. 우리도 하나님을 찾아야 한다. 하나님과 인간 사이의 가장 큰 문제는 인간이 하나님을 찾지 않는다는 것이다.

"여호와께서 하늘에서 인생을 굽어 살피사 지각이 있어 하나님을 찾는 자가 있는가 보려 하신즉 다 치우쳤으며 함께 더러운 자가 되고 선을 행하는 자가 없으니 하나도 없도다." 시 14:2-3

예수님이 하신 약속 중에 가장 감동적인 약속이, "찾으라 그러면 찾을 것이요"(마 7:7)이다. 만일 우리가 찾지 않는다면 결코 발견할 수 없을 것이다. 목자는 잃은 양을 발견하기까지 찾았다. 우리는 왜 그보다 덜하려 하는가? 하나님께서는 발견되기를 원하신다. 그러나 그분을 찾는 자들에게만 그렇게 되기를 원하신다.

우리는 부지런히 찾아야 한다. 에머슨은 "인간은 자기가 하고 싶은 만큼 게으르다."라고 했다. 그러나 이 문제는 너무도 중요하기 때문에, 우리는 본연의 게으름을 반드시 극복하고 진지하게 이 일에 전념해야 한다. 하나님께서는 실없는 사람들에게 인내를 보이지 않으신다. 게으른 자들을 동정하지 않으신다. 그러나 자기를 찾는 자들에게는 상 주시는 분이다(히 11:6).

우리는 겸손하게 찾아야 한다. 무관심이 일부 사람들에게 장애물이라면 교만은 더욱 크고 흔한 장애물이다. 우리는 생각(지성)에 한계가 있으므로 우리의 생각 자체로는 영적 진리를 발견할 수 없다는 것과, 하나님이 주시는 계시를 의지해야 한다는 것을 겸손히 인정해야 한다. 그렇다고 합리적인 사고를 중단하라는 뜻은 아니다. 우리는 무지한 말이나 노새같이 되지 말아야 한다(시 32:9). 우리는 지성을 사용해야 한다. 그러나 동시에 지성의 한계도 인정해야 한다. 예수님은 다음과 같이 말씀하셨다.

"천지의 주재이신 아버지여 이것을 지혜롭고 슬기 있는 자들에게는 숨기시고 어린아이들에게는 나타내심을 감사하나이다." 마 11:25

이것은 또한 예수님이 어린아이들을 사랑하신 이유 중 하나이다.

어린아이들은 쉽게 배운다. 그들은 교만하지도, 자기를 중시하지도, 비평적이지도 않다. 우리는 어린아이의 솔직하고 겸손하며 감수성 풍부한 특성을 가질 필요가 있다.

우리는 정직하게 찾아야 한다. 교만뿐 아니라 편견까지도 버리고 하나님의 자기 계시를 찾아가야 한다. 또한 겸손한 마음뿐 아니라 개방적인 마음도 가져야 한다. 이것은 참으로 어렵다. 어떤 학생이든지 선입관을 가지고 문제에 접근하는 것이 위험한 일임을 알고 있다. 그럼에도 불구하고 수많은 탐구자들이 자신의 생각을 미리 정하고 성경에 접근한다. 그러나 하나님의 약속은 진지하게 찾는 사람에게만 주어진다. "너희가 전심으로 나를 찾고 찾으면 나를 만나리라"(렘 29:13). 그러므로 우리는 편견을 버리고 기독교가 진정 진리일 수도 있다는 가능성에 마음을 열어야 한다.

우리는 순종하는 자세로 찾아야 한다. 이것은 그 어느 것보다 어려운 조건이다. 하나님을 찾을 때는 생각을 바꿀 뿐 아니라 삶까지도 고칠 준비를 해야 한다. 기독교의 메시지에 도덕적인 면이 있기 때문이다. 만일 그 메시지가 진리라면, 그 도덕적인 면도 받아들여야 한다. 하나님은 인간이 제 삼자의 자세로 탐구하기 위한 고정된 객체가 아니다. 우리는 하나님을 망원경이나 현미경에 고정시켜 놓고 "참 재미있다!"라고 할 수 없다. 하나님은 재미있는 분이 아니시다. 결코 단정 지을 수 없는 분이시다. 예수 그리스도도 마찬가지이다.

우리는 지적으로 그분을 살펴보기로 했다. 그러니 그분께서 우리를 영적으로 살피심을 발견한다. 그분과 우리의 역할이 바뀐 것이다. ……우리는 아리스토텔레스를 연구함으로써 지적으로 향상된다. 그러나 예수를 연구하면 그 심오하기 그지없는 길에서 영적으로 혼란을 겪게 된다. ……우리는 이 예수와 관련하여 마음과 의지의 어떤 도덕적 태도를 택할 수밖에 없다. ……지적으로 공정하게 예수를 연구할 수 있을지도 모른다. 그러나 도덕적 중립을 유지하면서 예수를 연구할 수는 없다. ……우리는 본색을 드러내야 한다. 예수님과의 책임을 회피하지 않는 접촉은 우리를 여기에 이르게 한다. 우리는 고요한 연구 가운데 이것을 시작했지만, 도덕적 결정의 영역으로 인도된다."[1]

이것은 예수님이 믿지 않는 유대인에게 "사람이 하나님의 뜻을 행하려 하면 이 교훈이 하나님께로서 왔는지 내가 스스로 말함인지 알리라"(요 7:17)고 하실 때 의미하신 것이다. 약속은 분명하다. 그 약속이란 그리스도가 참인지 거짓인지, 그의 가르침이 인간의 것인지 하나님의 것인지를 우리가 알게 된다는 것이다. 그러나 그 약속은 도덕 상태와 연관되어 있다. 우리는 믿을 준비뿐만 아니라 순종할 준비가 되어 있어야 한다. 하나님께서 그분의 뜻을 보여 주시면 행할 준비를 하고 있어야 하는 것이다.

---

1. P. Carnegie Simpson, *The Fact of Christ*, 1930.; James Clarke edition, 1952, pp. 23–24.

학교를 갓 졸업하고 런던에서 직장 생활을 시작한 한 젊은이가 찾아온 적이 있었다. 그는 사도신경을 외우면 위선자가 되는 것 같아서 교회를 그만 나가게 되었다고 했다. 그는 사도신경을 믿지 않았다. 그가 설명을 마치자 이렇게 물었다. "만약 내가 당신의 문제에 대해 지적으로 만족할 만한 대답을 한다면 기꺼이 당신의 생활 태도를 바꾸겠습니까?" 그는 슬쩍 웃으면서 얼굴을 붉혔다. 진정한 문제는 지적인 것이 아니라 도덕적인 것에 있었던 것이다.

이제까지 말한 것이 탐구할 때 가져야 하는 자세이다. 우리는 게으름과 교만, 편견과 죄를 버리고 결과를 개의치 말고 하나님을 찾아야 한다. 이제까지 말한 효과적인 탐구의 장애물들 가운데서 마지막 두 가지, 즉 지적 편견과 도덕적 자기 의지가 가장 극복하기 힘들다. 둘다 두려움으로 나타나는데, 두려움은 진리의 가장 큰 적이다.

두려움은 탐구를 마비시킨다. 우리는 하나님을 만나고 예수 그리스도를 영접하는 일이 매우 불편하고 힘겨운 경험임을 알고 있다. 여기에는 우리의 인생관 전체에 대한 재고와 생활 방식 전체의 재조정이 포함될 것도 알고 있다. 그런데 지적인 겁과 도덕적인 겁이 연합하여 우리를 주저하게 만든다. 우리가 발견하지 못하는 것은 찾지 않기 때문이고, 찾지 않는 것은 발견하기를 원하지 않기 때문이다. 우리는 발견하지 않는 확실한 방법은 찾지 않는 것임을 너무 잘 알고 있다.

그러므로 당신이 틀릴 수도 있다는 사실을 인정하라. 당신은 틀리고 그리스도가 옳을 수 있다. 당신이 진지하게 진리를 탐구하는 사람–부지런히, 겸손히, 정직하게 순종하는 자세로 하나님을 찾는 사람이라면 하나님의 계시라고 주장되는 성경으로 돌아가라. 특별히 예수 그리스도의 이야기를 설명하는 복음서를 공부하라. 그리스도에게 당신과 직접 만나서 자신이 옳음을 증명할 기회를 드리라. 하나님께서 설명해 주시면 마음과 뜻을 온전히 합쳐서 믿고 순종할 준비를 하라. 마가복음이나 요한복음을 통독하기 바란다. 이 중 한 권을 택하여(현대어로 된 것이면 더 좋다) 한 자리에서 쭉 읽으면 전체적인 윤곽을 이해할 수 있을 것이다. 그런 다음에는 하루 한 장씩 천천히 다시 읽으라. 읽기 전에 다음과 같이 기도하라.

> "하나님, 만일 하나님이 계신다면(사실 저는 하나님이 계시는지 확실히 모릅니다), 그리고 이 기도를 들으실 수 있으시다면(저는 기도를 들으실 수 있는지도 모릅니다), 제가 정직하게 진리를 찾고 있다는 것을 알아 주시기 원합니다. 제 마음은 열려 있습니다. 기꺼이 믿겠습니다. 저의 의지를 포기하겠습니다. 순종할 준비가 되어 있습니다. 진리를 가르쳐 주십시오. 예수님이 하나님의 아들이시고 세상의 구주임을 보여 주십시오. 제 마음에 확실한 것을 주시면, 예수님을 제 구주로 영접하고 주님으로 따르겠습니다. 아멘."

이 기도를 하는 사람은 결코 실망하지 않을 것이다. 하나님께서는 인간에게 빚지는 분이 아니시다. 그분은 모든 진지한 탐구를 귀히 여기신다. 그래서 정직하게 찾는 자들에게 보답하신다. 하나님께서는 분명히 약속하신다.

"찾으라 그리하면 찾을 것이요."

PART ONE | 그리스도는 누구인가?

2

그리스도 자신의 주장

이제까지 발견하려면 반드시 찾아야 한다는 것을 살펴보았다. 하지만 어디서부터 찾기 시작해야 하는가? 그리스도인이라면 시작해야 할 유일한 곳은 한 인물, 즉 나사렛 예수라는 역사상의 인물이라고 대답할 것이다. 하나님께서 말씀하시고 행하셨다면, 분명히 예수 그리스도를 통해 그렇게 하셨을 것이기 때문이다. 이때 중요한 문제는 "과연 나사렛의 목수가 하나님의 아들이냐?"라는 것이다.

기독교에 대한 탐구가 그리스도로부터 시작되어야 하는 데에는 두 가지 주된 이유가 있다.

기독교에 대한 탐구가 그리스도로부터 시작되어야 하는 데에는 두 가지 주된 이유가 있다.

첫째, 기독교는 본질적으로 그리스도라는 것이다.

둘째, 예수 그리스도가 신성을 지닌 유일한 분이라는 것이 증명되면 대부분의 다른 문제는 자연히 해결되기 때문이다.

첫째, 기독교는 본질적으로 그리스도라는 것이다. 그리스도와 그리스도가 한 일은 기독교 신앙이 기초하고 있는 반석이다. 만일 그가 자기가 말했던 존재가 아니고 또 그가 하러 왔다는 일을 하지도 않았다면, 기독교의 토대가 무너져 그 위에 세운 건물이 철저히 붕괴될 것이다. 기독교에서 그리스도를 제거한다면 사실상 남는 것이 전혀 없다. 그리스도는 기독교의 핵심이다. 다른 것은 모두 들러리에 불과하다. 우리의 주된 관심은 그의 철학의 본질, 그의 체제의 가치, 또는 그의 윤리의 질 등을 논의하는 데 있지 않다. 우리의 근본적인 관심은 그가 어떤 사람이었느냐 하는 것이다. 그리스도는 누구인가?

둘째, 예수 그리스도가 신성을 지닌 유일한 분이라는 것이 증명되면 대부분의 다른 문제는 자연히 해결되기 때문이다. 예수님이 신이라면, 하나님께서 계신다는 것이 증명되고 하나님의 속성도

밝혀진다. 다시 말하지만, 그가 신이라면 인간의 의무와 운명, 사후의 삶, 구약성경의 목적과 권위, 십자가의 의미 등에 관한 의문이 풀리기 시작한다. 그가 이런 것들에 대해 가르쳤기 때문이다. 그가 신이라면 그의 가르침도 사실일 수밖에 없다.

그러므로 당연히 연구는 예수 그리스도에서 시작해야 하며, 그를 공부하기 위해서는 복음서를 살펴보아야 한다. 현시점에서 복음서를 하나님의 영감으로 된 성경의 일부로 받아들일 필요는 없다. 단지 역사적 사실을 기록한 책이라고 취급하기만 하면 된다. 여기서 복음서의 저작 기원 문제를 다룰 수는 없다.[1] 단지 저자들은 모두 그리스도인으로서 정직한 사람들이며, 그 내용은 객관적이고 목격한 사실을 기록한 것이라고 강조하는 것으로 만족해야 할 것이다. 하지만 잠시 동안 이책의 내용은 예수님의 삶과 가르침을 정확히 기록한 것이라고 가정하기로 하자. 물론 애매하고 연관성이 없는 극소수의 증거를 기초로 하는 잘못을 범해서는 안 될 것이다. 우리는 일반적으로 명확한 것에 집중해야 한다.

우리의 목적은 예수님이 하나님의 독생자라는 것을 증명하는 증거를 모으는 것이다. 그의 모호한 신성을 선언하는 판결만으로 만족해서는 안 될 것이다. 우리가 확증하고자 하는 것은 예수님의 신성이다. 우리는 예수님이 어느 누구도 가지지 못한 하나님과의 영

1. 신약성경의 확실성에 대해서는 F. F. Bruce, *The New Testament Documents,* Inter-Varsity Press(신약성경 문헌 연구, 생명의말씀사 역간)와 Frederick G. Kenyon, *The Bible and Modern Scholarship,* John Murray을 참조하라.

원하고 본질적인 관계를 갖고 있다고 믿는다. 우리는 그를 인간으로 가장한 하나님이나 신적 자질을 가진 인간으로 여기지 않는다. 인간이 된 하나님the God-man이라고 믿는다. 우리는 예수님이 두 가지 분명하고도 완전한 속성, 즉 신성과 인성을 가진 역사상의 인물이며 이 점에 있어서 절대적으로 그리고 영원히 유일하심을 인정한다. 예수님이 그러한 분이실 때에만, 우리의 존경은 물론 경배의 대상이 될 수 있는 것이다.

그 증거는 최소한 3중적이다. 즉 그리스도 자신의 주장, 그가 나타낸 특성, 죽음에서의 부활이 그것이다. 어느 한 주장도 확정적이지는 않지만 세 가지 내용 모두 주저 없이 동일한 결론을 제시한다.

첫째 증거는 그리스도 자신의 주장이다. 윌리엄 템플 대주교는 이렇게 말했다. “그리스도의 존재에 대해서는 확실한 증거가 있다. 그 그리스도가 이제 엄청난 주장을 한 인물로 인정되고 있다.” 주장이라고 다 증거가 있는 것은 분명 아니지만, 이 사건은 어떤 설명을 요구한다. 명확한 이해를 위하여 4가지 종류의 주장들을 구분하여 설명하겠다.

그리스도의 가르침의 자기 중심성

예수님의 가르침에서 나타나는 가장 뚜렷한 특징은 끊임없이 자신에 대해 이야기했다는 것이다. 하나님의 아버지 되심과 하나님 나라에 대해 많이 언급한 것도 사실이지만, 습관적으로 그는 자신이 하나님의 "아들"이며, 자기가 천국 문을 열었음을 덧붙였다. 천국에 들어가는 것은 그에 대한 인간의 반응에 달려 있다. 심지어 그는 하나님 나라를 "나의 나라"라고 서슴없이 부르기까지 했다.

예수님의 가르침의 자기 중심성은 세상의 위대한 종교 지도자들과 분명하게 구별된다. 그들은 자신을 감추지만 예수님은 자신을 내세운다. 그들은 자신 이외의 것을 지적하면서 "내가 깨달은 바에 의하면 그것이 진리다. 그것을 따르라."고 말한다. 반면에 예수님은 "내가 진리니 나를 따르라."고 한다. 다른 종교 창시자들 가운데 감히 그런 말을 한 사람은 없다. 그의 말씀을 읽을 때 나타나는 인칭 대명사는 거듭해서 주의를 끈다. 그 예로 다음 말씀을 보라.

"내가 곧 생명의 떡이니 내게 오는 자는 결코 주리지 아니할 터이요 나를 믿는 자는 영원히 목마르지 아니하리라." 요 6:35

"나는 세상의 빛이니 나를 따르는 자는 어두움에 다니지 아니하고 생명의 빛을 얻으리라." 요 8:12

"나는 부활이요 생명이니 나를 믿는 자는 죽어도 살겠고 무릇 살아서 나를 믿는 자는 영원히 죽지 아니하리니." 요 11:25-26

"내가 곧 길이요 진리요 생명이니 나로 말미암지 않고는 아버지께로 올 자가 없느니라."요 14:6

예수님이 초반 가르침 다음에 하신 중요한 질문은 "너희는 나를 누구라 하느냐"(막 8:29)였다. 그는 아브라함이 자기의 때 볼 것을 즐거워하였으며(요 8:56), 모세가 자기에 대해 기록하였고(요 5:46), 성경이 자기에 대해 증거하며(요 5:39), 구약의 주요 세 부분―율법서, 선지서, 시가서―에는 실제로 "자기에 관한 것"이 있다고 주장하였다(눅 24:27, 44).

누가는 예수님이 고향 나사렛의 회당을 방문한 극적인 사건을 상당히 자세하게 설명한다. 그는 두루마리 성경을 받자 일어서서 읽었다. 그 본문은 이사야 61:1-2이었다.

"주의 성령이 내게 임하셨으니 이는 가난한 자에게 복음을 전하게 하시려고 내게 기름을 부으시고 나를 보내사 포로 된 자에게 자유를, 눈 먼 자에게 다시 보게 함을 전파하며 눌린 자를 자유케 하고 주의 은혜의 해를 전파하게 하려 하심이라."눅 4:18-19

예수님은 책을 덮어서 회당 시중자에게 돌려주고 앉았다. 그러는 동안 모든 회중의 눈은 그에게 고정되었다. 그때 그는 놀라운 말씀으로 정적을 깨뜨렸다. "이 글이 오늘날 너희 귀에 응하였느니라." 다시 말해서 "이사야가 한 말은 바로 나에 대한 것이다."라고 하였던 것이다.

그가 이러한 말로 사람들을 자신에게 주목하도록 한 것은 놀라운 것이 못 된다. 사실 그는 초대뿐만 아니라 명령도 하였다. 그는 "내게로 오라", "나를 따르라"고 하였던 것이다. 사람들이 자기에게 오기만 하면 무거운 짐으로부터 쉬게 하고(마 11:28-30), 배고픔을 채워 주고(요 6:35), 갈한 영혼의 목을 축여 주겠다(요 6:35, 7:37)고 약속하였다. 그를 따르는 자는 그에게 순종해야 하고 사람들 앞에서 그를 시인해야 한다. 예수님의 제자들은 예수님이 이런 독재적인 주장을 할 수 있도록 그 권리를 인정했으며 바울, 베드로, 야고보, 유다는 그들의 서신서에서 자신을 기꺼이 그의 "종"으로 자처했다.

이보다 더한 것은, 그가 자신을 인간의 신앙과 사랑의 합당한 대상이라고 했다는 점이다. 인간은 하나님을 믿어야 한다. 그러나 예수님은 인간들에게 자기를 믿으라고 했다. 그는 "하나님의 보내신 자를 믿는 것이 하나님의 일이다"(요 6:29), "아들을 믿는 자는 영생이 있다"(요 3:36)고 선포했다. 그를 믿는 것이 인간의 제일가는 의무라면, 그를 믿지 않는 것은 큰 죄인 것이다(요 8:24, 16:8-9).

다시 말하자면, 크고 첫째되는 계명은 마음을 다하고 목숨을 다하고 뜻을 다하여 하나님을 사랑하는 것이다. 그런데도 예수님은 대담하게 인간 최고의 사랑을 요구하였다. 그는 아비나 어미나 아들이나 딸을 자기보다 더 사랑하는 자는 자기에게 합당치 아니하다고 했다(마 10:37). 그는 히브리 비유법을 사용해서 이렇게 덧붙였다. "무릇 내게 오는 자가 자기 부모와 처자와 형제와 자매와 및 자기 목숨까지 미워하지 아니하면 능히 나의 제자가 되지 못하고" (눅 14:26).

그는 자신이 하나님의 목적 가운데서 중심을 차지하고 있다고 확신했기 때문에, 하늘 나라로 돌아간 후 자기를 대신할 누군가를 보내겠다고 약속하였다. 바로 성령이다. 그리스도는 그를 보혜사(또는 "위로자"), 즉 "대언자"라는 이름으로 즐겨 불렀다. 이것은 법률적 명칭이다. 즉 피고를 위한 변호사, 대변인을 의미한다. 그래서 성령의 임무는 세상에서 그리스도를 위해 탄원하는 것이다. "그가 나를 증거하실 것이요……그가 내 영광을 나타내리니 내 것을 가지고 너희에게 알리겠음이니라"(요 15:26, 16:14). 따라서 성령이 세상에 증거하는 것도, 교회에 증거하는 것도 예수 그리스도에 관한 것이다.

실로 그는 깜짝 놀랄 정도의 자기 중심적 사고 가운데 이렇게 예언했다. "내가 땅에서 들리면 모든 사람을 내게로 이끌겠노라"(요 12:32). 그는 십자가가 도덕적 자력을 발하여 모든 사람들을 이끌어 들일 것을 알았던 것이다. 그러나 그는 여기에, 이끄는 곳이 하나님이나 교회, 혹은 진리나 의가 아니라 자기 자신이라고 덧붙였다. 오직 그에게로 이끌릴 때에만 이런 것들에게로 이끌릴 수 있는 것이다.

이 자기 중심적 가르침의 가장 뚜렷한 특징은, 다른 사람들에게는 겸손을 강력하게 권고했다는 사실이다. 그는 제자들의 자아 추구를 꾸짖었으며, 그들의 높아지고자 하는 욕심에 염증을 느꼈다.

그가 자신이 가르친 것을 실행하지 않은 것이 아닐까? 그는 어린아이를 데려다가 제자들의 모범으로 세우기도 했다. 자신에 대해서는 다른 기준을 적용한 것이 아닐까?

그리스도가 직접 한 주장

예수님은 자신이 구약에 예언된 메시아라고 분명히 믿었다. 그는 예언자들이 여러 세대에 걸쳐 예언한 하나님 나라를 세우기 위해 왔다.

예수님의 공적 사역에 관해 기록한 첫마디가 "이루어졌다"fulfilled 이고 그의 첫 말이 "때가 이루어졌고(찼고) 하나님 나라가 가까웠다"(막 1:15)라는 사실은 의미가 깊다. 그는 "사람의 아들"(인자)이라는 이름을 사용했는데, 그것은 원래 다니엘의 환상 가운데 나온 메시아의 명칭이었다. 대제사장들에게 도전을 받았을 때 "하나님의 아들"이라는 이름도 받아들였는데(막 14:61-62), 그것은 특히 시편 2:7에서 인용한 메시아의 또 다른 칭호였다. 또한 그는 자신의 사명을 이사야서 후반에 나오는 여호와의 고난받는 종에 관한 묘사에 비추어 설명했다.

그의 열두 제자 훈련의 첫 단계는, 가이사랴 빌립보로 가던 중 시몬 베드로가 예수님을 그리스도라고 고백하였을 때 절정에 이르렀다(막 8:27-29). 다른 사람들은 예수님을 선지자들 가운데 한 사람으로 생각하기도 했다. 그러나 시몬 베드로는 예수님이 선지자들이 이야기했던 분임을 깨달았다. 예수님은 단지 여러 이정표들 중 하나가 아니라, 모든 이정표들이 가리킨 목적지였다.

예수님의 사역은 온통 이 성취감으로 채색되어 있다. "너희의 보는 것을 보는 눈은 복이 있도다." 예수님은 제자들에게 은밀히 말씀하셨다. "내가 너희에게 말하노니 많은 선지자와 임금이 너희 보는 바를 보고자 하였으되 보지 못하였으며 너희 듣는 바를 듣고자 하였으되 듣지 못하였느니라"(눅 10:23-24, 참조. 마 13:16-17).

그러나 지금 우리가 관심을 갖는 직접적 주장은 예수님의 메시아 됨뿐만 아니라 하나님 됨도 포함하고 있다. 자신을 하나님의 아들이라고 주장한 것이 메시아라고 주장한 것보다 많은데, 이것은 그가 하나님과 유일하고도 영원한 관계에 있음을 설명하는 것이다.

이 엄청난 주장에 대해 3가지 정도의 예를 들 수 있다.

첫째, 하나님을 자기 "아버지"로 긴밀하게 연관시킨 것으로, 예수님은 이것을 끊임없이 이야기하셨다. 예수님은 열두 살 소년이었을 때 벌써 하늘 아버지의 일에 대한 불굴의 열정으로 육신의 부모를 놀라게 하였다(눅 2:49). 그리고 이런 말도 하였다.

"내 아버지께서 이제까지 일하시니 나도 일한다."요 5:17

"나와 아버지는 하나이니라."요 10:30

"내가 아버지 안에 있고 아버지께서 내 안에 계심을 믿으라."요 14:11

예수님이 제자들에게 하나님을 "아버지"라고 부르라고 가르치셨지만, 그리스도의 아들 됨과 우리의 아들 됨은 너무나 성질이 다르므로 구분해야 했다. 예수님에게 하나님은 "내 아버지"이다(마 7:21, 18:10, 19, 35, 20:23, 26:53). 그래서 그는 막달라 마리아에게 "내가 내 아버지 곧 너희 아버지……께로 올라간다"(요 20:17)고 했다. 예수님이 "내가 우리의 아버지께로 올라간다."고 말하는 것은 불가능했을 것이다.

마태복음 11:27도 하나님과의 유일한 관계에 대해서 주장하고 있다.

"내 아버지께서 모든 것을 내게 주셨으니 아버지 외에는 아들을 아는 자가 없고 아들과 또 아들의 소원대로 계시를 받는 자 외에는 아버지를 아는 자가 없느니라."

예수님이 하나님과의 가까운 관계를 주장했다는 것은 "자기를 하나님의 아들이라 함으로써"(요 19:7) 유대인들을 분개하게 했던 데서 더욱 잘 나타난다. 예수님은 자신과 하나님을 긴밀하게 동일시했기 때문에 자기에 대한 인간의 태도와 하나님에 대한 인간의 태도를 동일하게 여겼던 것이다. 따라서,

예수님을 아는 것은 하나님을 아는 것이고, 요 8:19

예수님을 본 것은 하나님을 본 것이며, 요 12:45, 14:9

예수님을 믿는 것은 하나님을 믿는 것이고, 요 12:44, 14:1

예수님을 영접하는 것은 하나님을 영접하는 것이며, 막 9:37

예수님을 미워하는 것은 하나님을 미워하는 것이고, 요 15:23

예수님을 공경하는 것은 하나님을 공경하는 것이었다. 요 5:23

이제까지는 예수님과 하나님과의 독특한 관계에 대해 일반적인 주장을 고찰했다. 이제는 보다 구체적이고 직접적인 주장 두 가지를 살펴보기로 하자.

첫 번째 주장은 요한복음 8:51-58에 나와 있다. 예수님은 유대인들과 논쟁하던 중에 이렇게 주장하였다. "진실로 진실로 너희에게 이르노니 사람이 내 말을 지키면 죽음을 영원히 보지 아니하리라." 이것은 예수님을 비판하는 자들에게는 얼토당토 않은 말이었다. 그래서 그들은 반문하였다. "아브라함과 선지자들도 죽었거늘……너는 이미 죽은 우리 조상 아브라함보다 크냐……너는 너를 누구라 하느냐."

"너희 조상 아브라함은 나의 때 볼 것을 즐거워하다가 보고 기뻐하였느니라." 예수님의 대답이었다.

유대인들은 더욱더 당혹해 하였다. "네가 아직 오십도 못 되었는데 아브라함을 보았느냐."

그때 예수님은 매우 의미심장한 주장으로 응수하였다. "진실로 진실로 너희에게 이르노니 아브라함이 나기 전부터 내가 있느니라."

그러자 유대인들이 돌을 들어 치려고 하였다.

모세의 율법에 의하면 하나님을 모독하는 자는 돌로 치도록 되어 있으므로, 사람들은 그리스도의 말에 하나님을 모독하는 무엇이 있는 것이 아닐까 생각했을지 모른다. 물론 아브라함이 나기 전부터 있었다는 주장이 있기는 하다. 이 주장은 그리스도가 자주 한 주장이다. 그는 하늘에서 "내려왔고", 아버지의 "보냄"을 받았다. 그러므로 그 주장은 아무 잘못이 없다. 그러나 우리는 좀더 자세히 살펴보아야 한다.

예수님은 "아브라함이 나기 전부터 내가 있었느니라"고 하지 않고 "내가 있느니라"고 하였다. 따라서 이것은 아브라함 이전부터 영원히 존재하여 왔다는 주장이었다. 그러나 이것도 전부는 아니다. "내가 있느니라"는 말씀은 영원성의 주장 이상의 것-신성에 대한 주장-을 내포하고 있다.

"내가 있느니라"I am는 호렙산 불붙은 가시 덤불에서 하나님이 모세에게 자신을 나타내실 때 사용하신 하나님의 이름이다. "나는 스스로 있는 자니라 I am who I am……너는 이스라엘 자손에게 이같이 이르기를 스스로 있는 자I am가 나를 너희에게 보내셨다 하라"(출 3:14). 이 하나님의 이름을 예수님은 차분히 자신에게 붙이고 있는 것이다. 바로 이것 때문에 유대인들은 돌을 들어 하나님을 모독한 죄를 벌하려 했던 것이다.

신성에 대한 두 번째 직접적인 주장은 부활 후에 이루어졌다(잠시, 부활이 사실이었다고 가정하자). 부활 후 첫 일요일, 의심 많은 도마는 다른 제자들과 함께 다락방에 있었다. 그때 예수님이 나타났다. 예수님은 도마를 불러 상처를 만져 보라고 했다. 그러자 도마는 경이에 사로잡혀 외쳤다. "나의 주시며 나의 하나님이시니이다"(요 20:26-29). 예수님은 그 명칭을 받아들였다. 예수님이 도마를 책망한 것은 그의 불신 때문이었지 경배 때문은 아니었던 것이다.

그리스도가 간접적으로 한 주장

그리스도는 직접적인 방법뿐만 아니라 간접적인 방법으로도 자신의 신성을 주장했다. 그의 사역에 함축되어 있는 의미는 그의 직접적인 말처럼 강력하게 그가 누구인가를 증거하고 있다. 많은 경우 그는 오직 하나님께만 속하는 일들을 행하였다. 이것들 가운데 4가지를 이야기해 보겠다.

첫째는 죄를 용서한다는 주장이다. 예수님은 두 번에 걸쳐 죄인들을 용서해 주었다. 첫 번째는 중풍병자를 그 친구들이 예수님이 계신 곳의 지붕을 뜯고 달아 내렸을 때였다. 예수님은 그 중풍병자에게 근본적으로 필요한 것이 영적인 것임을 알았다. 그래서 "소자야 네 죄 사함을 받았느니라"고 말씀하심으로써 둘러선 무리를 놀라게 하였다(막 2:1-12).

죄를 용서한다는 두 번째 선언은 부도덕한 사람으로 낙인찍힌 한 여인에게 행해졌다. 예수님은 어떤 바리새인의 집에 식사 초대를 받으셨다. 그때 그 여자가 예수님 뒤로 와서 울며 눈물로 그 발을 적시고 자기 머리 털로 씻고 그 발에 입 맞추고 향유를 부었다. 그러자 예수님은 "네 죄 사함을 얻었느니라"고 하였다(눅 7:36-50).

두 경우 모두 옆에서 보던 자들은 눈을 휘둥그렇게 뜨고 "이 사람이 누구냐? 이 얼마나 하나님을 모독하는 짓이냐? 하나님 외에 누가 감히 죄를 사하느냐?" 하였다. 그들의 의문은 당연한 것이었다. 다른 사람이 우리에게 행한 잘못은 우리가 용서할 수 있다. 그러나 하나님께 지은 죄는 오직 하나님만 용서하실 수 있다.

그리스도의 두 번째 간접적인 주장은 생명을 준다는 것이다. 그는 자신을 "생명의 떡"(요 6:35), "생명"(요 14:6), "부활이요 생명"(요 11:25)이라고 묘사하였다. 사람들이 자기를 의지하는 것을 포도나무 가지가 그 줄기를 의지하여 생존하는 것에 비교하였다. 사마리아 여인에게는 "생수"를 제공하였고(요 4:10-15), 젊은 부자에게는 와서 자신을 좇으면 영생을 주겠다고 약속했다(막 10:17, 21). 그는 자신을, 양들을 위해 자신의 생명을 줄 뿐만 아니라 그들에게 생명을 주는 선한 목자라고 불렀다(요 10:28). 하나님께서 자기에게 주신 모든 자에게 영생을 주게 하시려고 만민을 다스리는 권세를 자신에게 주셨다고 하였다(요 17:2). 그리고 "아들도 자기의 원하는 자들을 살리느니라"(요 5:21)고 선언했다.

이 주장이 너무도 단호하였기 때문에 제자들은 그것이 진실임을 분명히 알았다. 그래서 예수님으로부터 떨어져 나갈 수가 없었다. 그리하여 베드로는 "영생의 말씀이 계시매 우리가 뉘게로 가오리이까"(요 6:68)라고 고백하였다.

생명은 하나의 수수께끼이다. 육체적 생명이든, 영적 생명이든, 그 본질은 기원처럼 불가사의하다. 우리는 생명을 정의할 수도, 어디서 왔는지 말할 수도 없다. 단지 생명이 하나님의 선물이라고 할 수 있을 뿐이다. 예수님이 주겠다고 한 것도 바로 이 선물이다.

그리스도의 세 번째 간접적인 주장은 진리를 가르친다는 것이다. 우리의 주의를 끄는 것은 그가 가르친 진리라기보다는 그것을 가르치는 단호하고 독단적인 자세이다. 그와 동시대에 살았던 사람들은 그의 지혜 때문에 놀랐던 것이 분명하다.

"이 사람이 어디서 이런 것을 얻었느뇨 이 사람의 받은 지혜와 그 손으로 이루어지는 이런 권능이 어찌 됨이뇨 이 사람이……목수가 아니냐."막 6:2-3

"이 사람은 배우지 아니하였거늘 어떻게 글을 아느냐."요 7:15

그러나 더 큰 인상을 받은 것은 그의 권위였다.

"그 사람의 말하는 것처럼 말한 사람은 이 때까지 없었나이다."요 7:46

"저희가 그 가르치심에 놀라니 이는 그 말씀이 권세(권위)가 있음이러라."눅 4:32

"예수께서 이 말씀을 마치시매 무리들이 그 가르치심에 놀래니 이는 그 가르치시는 것이 권세 있는 자와 같고 저희 서기관들과 같지 아니함일러라."마 7:28-29

그의 권위(권세)는 선지자들의 권위도 서기관들의 권위도 아니었다. 선지자들은 여호와의 권위를 빌어 말했고, 서기관들은 권위를 내세우지 않고 가르쳤다. 그러나 예수님은 자신의 권위를 주장했다. 그의 말투는 "주께서 이렇게 말씀하셨다……" 가 아니라 "진실로 진실로 내가 너희에게 이르노니……"였다.

물론 그가 자신의 교훈은 자기의 것이 아니라 자기를 보내신 아버지의 것이라고 설명한 것도 사실이다(요 7:17-18). 그럼에도 불구하고 그처럼 큰 확신을 가지고 이야기할 수 있을 만큼 그는 자신을 하나님의 직접적인 계시 수단이라고 여겼다. 그는 주저한 적도 핑계한 적도 없었다. 자기가 말한 것을 번복하거나 철회하거나 수정할 필요가 없었다.

그는 하나님의 말씀이 분명한 말을 했다. "하나님의 보내신 이는 하나님의 말씀을 한다"(요 3:34). 그는 완전한 확신을 갖고 장래를 예언했다. 또한 "너희 원수를 사랑하라"(마 5:44; 눅 6:27), "내일 일을 위하여 염려하지 말라"(마 6:34), "비판을 받지 아니하려거든 비판하지 말라"(마 7:1) 등의 절대적인 도덕적 명령을 하였다. 그는 조금도 의심하지 않고 "구하라 그러면 너희에게 주실 것이요"(마 7:7; 눅 11:9)라고 그 이행을 약속했다. 그는 자기의 말이 율법처럼 영원하여 결코 없어지지 않을 것이라고 주장했다(막 13:31; 마 5:18참조). 그는 청중에게, 마치 이스라엘의 운명이 여호와의 말씀에 대한 그들의 반응에 달렸듯이, 그들의 운명은 자기 말에 대한 그들의 반응에 달렸다고 선포했다(마 7:24-27; 요 12:48).

그리스도의 네 번째 간접적인 주장은 세상을 심판한다는 것이다. 어쩌면 이것은 믿기 어려울 정도로 다른 어떤 말보다도 터무니없어 보인다. 그의 비유 몇 가지는 그가 세상 끝날에 재림할 것을 암시하고 있다. 그 최후 계산의 날은 그가 다시 올 때까지 연기될 것이다. 그는 몸소 죽은 자를 다시 살릴 것이며(요 5:28-29), 모든 민족이 그의 앞에 모이게 될 것이다. 그는 영광의 보좌에 앉을 것이며, 아버지께서 모든 심판을 그에게 맡기실 것이다(요 5:22). 그때 그는 마치 목자가 양과 염소를 구별하듯이 사람들을 가려낼 것이다. 그중 일부는 태초부터 그들을 위해 예비된 천국을 상속받도록 초대될 것이며, 나머지는 "저주를 받은 자들아 나를 떠나 마귀와 그 사자들을 위하여 예비된 영영한 불에 들어가라"는 무서운 말을 듣게 될 것이다(마 25:31-46).

예수님은 재판관이 되실 것이다. 또한 심판의 기준은 예수님에 대한 사람들의 태도가 될 것이다. 이 태도는 그의 "형제"에 대한 대우 또는 그의 말씀에 대한 반응으로 나타난다. 그는, 사람들 앞에서 자기를 시인한 사람들은 하나님 앞에서 시인하고, 사람들 앞에서 자기를 부인한 사람들은 부인할 것이다(마 10:32-33). "내가 너를 도무지 알지 못하노라"는 예수님의 말씀 한 마디로 마지막 날 천국에서 쫓겨나는 일이 결정된다(마 7:23).

이 주장의 중대성은 아무리 강조해도 지나치지 않다. 오늘 어떤 성직자가 회중에게 이렇게 설교한다고 가정해 보라. "내 말을 주의해서 들으시오. 여러분의 영원한 운명은 여기에 달려 있습니다. 나는 세상 마지막에 여러분을 심판하러 올 것입니다. 여러분의 운명은 여러분이 내 말을 어떻게 순종했는가에 따라 결정될 것입니다." 아마 그는 곧 경찰이나 정신과 의사의 주목을 받게 될 것이다.

그리스도의 극화된 주장

이제 그리스도의 기적들만 살펴보면 되는데, 이것을 그리스도의 극화된dramatized 주장이라고 할 것이다.

여기서는 기적의 가능성과 목적에 대해 철저하게 논의하지 않겠다. 그리스도의 기적의 가치는 초자연적 성격보다는 영적 의미에 있다는 것을 지적하는 것만으로 충분하기 때문이다. 기적은 "이적" wonder일 뿐 아니라 "표적"sign이기도 하였다. 그것들은 이기적으로나 무분별하게 행해진 적이 없었다. 과시하려거나 복종을 강요하려는 것이 결코 아니었다. 그것들은 단순한 물리적 능력의 표현이 아니라 도덕적 권위의 실증이었다. 사실상 그것들은 행동으로 이루어진 예수님의 비유였고, 그의 주장을 시각적으로 보여 주었다. 즉, 그리스도의 말씀을 극화한 것이었다.

요한은 이것을 분명히 보고, 그의 복음서를 예닐곱 가지의 선택된 "표적"을 중심으로 구성하여(요 20:30-31 참조) 그것들을 그리스도가 한 저 위대한 "나는……이다"I am 선언과 결부시키고 있다. 첫째 표적은 갈릴리 가나의 혼인 잔치에서 물을 포도주로 만든 것이다. 이것을 특별히 교훈적으로 만드는 것은 기적 자체가 아니다. 그 의의는 이면에 있다. 요한은 "유대인의 결례를 따라"(요 2:6) 돌로 만든 물 항아리가 준비되어 있었다고 말한다. 바로 이것이 우리가 찾고 있는 단서다. 물은 4장의 야곱의 우물과 같이 구약 사회에서의 흔했던 옛 신앙을 나타낸다. 그리고 포도주는 예수님에 대한 신앙을 나타낸다. 그리스도가 물을 포도주로 바꾸었듯이 복음은 율법을 대신한다. 이 표적은 그가 새로운 질서를 창조할 능력이 있다는 주장을 뒷받침한다. 그는 메시아였다. 그래서 얼마 후 사마리아 여인에게 "내가 그로라"(요 4:26)고 말했던 것이다.

이와 비슷한 5천 명을 먹이신 기적도 그가 인간의 심령의 굶주림을 채워 줄 수 있다는 주장을 예시한 것이다. 그는 "내가 곧 생명의 떡이다"(요 6:35)라고 말했다. 그리고 얼마 후 "나는 세상의 빛이다"(요 8:12)라고 말한 다음, 날 때부터 소경이었던 사람의 눈을 뜨게 하였다. 그가 소경의 시력을 회복시킬 수 있었다면 사람들의 눈을 뜨게 하여 하나님을 보고 알게 할 수도 있었을 것이다.

끝으로, 그는 죽은 지 나흘이나 되는 나사로를 살리고 "나는 부활이요 생명이다"(요 11:25)라고 주장하였다. 그는 죽은 사람을 다시 살렸다. 그것은 표적이었다. 육체의 생명은 영혼의 생명을 상징한다. 그리스도는 신자들이 살았을 때의 생명이며, 죽은 후의 부활이다.

이 모든 기적은 비유이다. 인간은 영적으로 굶주리고 눈멀고 죽어 있으며, 오직 그리스도만이 그들의 굶주림을 채우고 시력을 회복시키며 새로운 생명을 줄 수 있다.

결 론

나사렛 목수의 이러한 주장들을 무시하는 것은 불가능하다. 그것들을 복음서 기자들이 지어냈다든가 무의식중에 과장했다고 말할 수 없다. 그것들은 여러 복음서와 그 복음서의 자료 속에 널리 그리고 고르게 분포되어 있다. 그리고 이 예수의 모습은 매우 일관성 있고 조화되어 있어서 상상해 낸 것이라고는 할 수 없다.

이 속에는 주장이 들어 있다. 그것들 자체에는 신성의 증거가 없다. 주장이 거짓일 수도 있다. 그러나 그것에 대한 설명을 반드시 해야 한다. 만일 예수님이 그의 가르침의 수요 내용 중 하나인 자신에 관한 것에서 중대한 실수를 했다면, 더 이상 그를 위대한 스승이라 할 수 없다. 많은 학자들이 확인했듯이, 예수님에 대한 "과대 망상증 환자"가 존재한다.

> 이런 주장을 평범한 사람이 했다면 과대 망상증으로 발전된 자기 중심주의일 것이다.[2]

> 그의 도덕적 가르침의 심오함, 건전함, 그리고 (필자가 덧붙인다면) 날카로움과, 만일 그가 진정으로 하나님이 아닐 경우 그의 신학적 가르침 배후에 있는 엄청난 과대 망상 사이의 모순은 결코 만족할 만큼 해결되지 않고 있다.[3]

---

2. P. T. Forsyth, *This Life and the Next,* Independent Press, 1947.

그는 간교한 사기꾼일까? 그는 자기가 소유하지 않은 신적 권위를 가진 체함으로써 사람들이 자기 견해를 추종하게 하려고 했을까? 이런 것은 믿기가 매우 어렵다. 예수님에게는 간사함이 없는 무엇인가가 있다. 그는 다른 사람들의 위선을 증오했으며 스스로 투철하게 성실했다.

그렇다면 그는 성실하긴 했지만 오류를 범한 사람일까? 미쳤다고까지는 아니라도, 그가 자신에 대한 어떤 망상을 가지고 있었다고 할 수는 있지 않을까? 이 가능성에 찬성하는 사람들이 있다. 그러나 사람들은 예수님의 망상보다 그들의 망상이 더 엄청나다는 것을 알고 있다. 예수님은 망상에 사로잡힌 자들에게서 받게 되는 그런 비정상적인 인상을 주지 않는다. 그의 인격은 그의 주장을 뒷받침한다. 따라서 이제 이 맥락에서 탐구를 계속해 나가야 한다.

---

3. C. S. Lewis, *Miracles*, Bles, 1947.

3
그 리 스 도 의　인 격

몇 해 전 약간의 친분이 있는 젊은이에게서 편지를 받았다. 그 편지에는 이렇게 쓰여 있었다. "저는 이제 막 위대한 발견을 했습니다. 전능하신 하나님께는 아들이 둘 있는데, 첫째는 예수 그리스도요, 둘째는 바로 저라는 것입니다." 놀라서 주소를 확인해 보니, 편지를 쓴 곳은 정신 병원이었다.

물론 자신이 위대하며 신성을 가지고 있다고 주장한 사람들은 늘 있었다. 정신 병원에는 자기를 줄리어스 시저, 수상, 일본 천황, 예수 그리스도 등으로 주장하는 미친 사람들이 가득 차 있다. 그러나 그들의 주장을 믿는 사람은 아무도 없다. 속는 사람은 자신밖에 없는 것이다. 동료 환자라면 몰라도, 그들의 제자가 되려는 사람은 없다. 그들은 다른 사람들을 설득시키지 못하는데, 그것은 자신이 주장하는 것과 같은 존재로 보이지 않기 때문이다. 그들의 성경이 그들의 주장을 뒷받침하지 못하는 것이다.

그러나 그리스도에 대한 그리스도인의 확신은, 그리스도가 자신에 대해 말한 바로 그런 존재로 보인다는 사실 때문에 크게 강화된다. 그리스도의 말씀과 행위 사이에는 모순이 전혀 없다. 분명 그의 엄청난 주장을 입증하는 데는 매우 비범한 인격이 요구된다. 그러나 우리는 그리스도가 바로 그런 인격을 보여 주었다고 믿는다. 그의 인격은 그의 주장이 사실이라고 단정적으로 증명하는 것이 아니라 그 주장을 뒷받침한다. 그의 주장은 배타적이었고, 그의 인격은 독특하였다. 존 스튜어트 밀은 그를 이렇게 말했다.

> 자기 이전 사람과도, 또한 이후 사람과도 같지 않은 유일무이한 인물이다.[1]

카네기 심프슨은 이렇게 썼다.

> 우리는 본능적으로 그를 다른 사람들과 같이 분류하지 않는다. 공자로 시작해서 괴테로 끝나는 위인 명록에서 그리스도의 이름을 읽을 때, 우리는 정통 교리에 어긋나는 것 이상으로 예의에 어

---

1. W. H. Griffith Thomas, *Christianity is Christ*, 1909; Church Book Room Press edition, 1948, p. 15.

긋남을 느낀다. 예수님은 세계의 위인들 가운데 한 사람이 아니다. 알렉산더 대왕, 찰스 대제, 또는 나폴레옹 황제에 대해 이야기해 보자. ……예수님은 그런 사람들과는 다르다. 그는 위인이 아니다. 유일한 분이다. 단순히 예수님일 따름이다. 거기에 아무것도 첨가할 수 없다. ……그는 우리가 분석할 수 있는 수준을 넘어선 분이다. 그는 인간성에 대한 우리의 기준을 혼란스럽게 하며, 우리의 비판이 자가 당착에 빠지게 만든다. 그는 우리 영이 경외심을 느끼게 한다. 찰스 램은 이렇게 말했다. "만일 셰익스피어가 이 방에 들어온다면 우리는 모두 일어나 맞이할 것이다. 그러나 만일 그분이 이 방에 들어오신다면 우리는 모두 꿇어 엎드려 그의 옷자락에 입맞출 것이다."[2]

그러므로 이제 우리는 예수님이 스스로 도덕의 범주 안에 계셨음을 설명하는 데 관심을 갖는다. 그가 "태고 이래 가장 위대한 사람"이라는 사실을 시인하는 것은 우리를 전혀 만족시키지 못한다. 우리는 예수님을 비교급, 아니 최상급으로도 설명할 수 없다. 이것은 비교의 문제가 아니라 대조의 문제이다.

그는 젊은 부자에게 "어찌하여 나를 선하다 일컫느냐?"라고 물었다. "하나님 한 분 외에는 선한 이가 없느니라." 우리는 이렇게 대답해야 한다. "옳습니다. 당신이 다른 사람들보다 선하다는 것도,

---

2. P. Carnegie Simpson, *The Fact of Christ*, 1930; James Clarke edition, 1952, pp. 19–22.

아니 사람들 중에 가장 선하다는 것도 아닙니다. 당신은 바로 하나님의 절대적인 선을 가졌습니다."

이 주장은 매우 중요하다. 죄는 인간의 타고난 질병이다. 태어날 때 이미 본성이 죄에 물들어 있다는 말이다. 죄는 만인의 고통의 원인이다. 따라서 나사렛 예수가 죄가 없었다면, 그는 우리가 아는 한 인간이 아니다. 만약 그가 죄가 없었다면, 그는 우리와는 다른 존재다. 그는 초자연적인 존재다.

> 그의 인격은 가장 위대한 기적보다 놀랍다.[3]

> 이 죄인들로부터 구분됨은 사소한 것이 아니라 엄청난 것이다. 이것은 대속의 전제 조건이다. 그리스도 안에 이 특질이 없다면 그는 구세주가 될 자격이 없는 것이며, 결국 우리와 같이 구원을 받아야 했을 것이다.[4]

이제 그리스도가 죄가 없다는 증거를 4가지로 요약해 보자.

그리스도 자신의 견해

예수님은 한두 번에 걸쳐 직접 자신은 죄가 없다고 이야기했다.

---

3. Tennyson, Carnegie Simpson, p. 62에서 재인용.
4. James Denney, *Studies in Theology*, Hodder and Stoughton, 9th edition, 1906, p. 41.

예수 그리스도는 죄가 없다

한 여자가 간음하다가 현장에서 붙잡혀 예수님 앞에 끌려왔을 때, 예수님은 고소하는 자들을 난처하게 하는 도전을 하였다. "너희 중에 죄 없는 자가 먼저 돌로 치라." 그러자 그들은 하나 둘씩 빠져 나가고 결국은 아무도 남지 않았다(요 8:1-11).

바로 그 장 조금 뒤에 요한은 또 다른 도전을 기록하고 있다. 이번 도전은 예수님 자신에 관한 것이었다. "너희 중에 누가 나를 죄로 책잡겠느냐"(46절). 아무도 대답하지 못했다. 사람들은 예수님이 책망했을 때 도망쳐 버렸다. 그러나 예수님이 그들을 불러 자기를 책망해 보라고 했을 때, 예수님은 그대로 머물러 세밀한 조사를 받았다. 그들은 모두 죄가 있었고 예수님은 없었던 것이다. 예수님은 아버지의 뜻에 온전히 순종하는 삶을 살았다. "내가 항상 그의 기뻐하시는 일을 행한다"(29절)고 그는 말했다. 이 말에는 자만이 전혀 없었다. 과장도 허식도 없는 자연스러운 이야기였다.

이와 비슷하게, 그는 자기의 가르침의 성격을 통해 자신을 스스로 도덕의 범주 안에 두었다. 바리새인이 주제넘게도 이런 감사 기도를 드렸다. "하나님이여 나는 다른 사람……과 같지 아니함을 감사하나이다"(눅 18:11). 그러나 예수님은 자기를 의식하지 않고 자신의 유일성을 주장했다. 그는 그의 유일성에 관심을 끌 필요가 없었다. 너무나 당연한 사실이었기 때문이다. 따라서 그는 유일성을 주장하기보다는 암시하였다.

다른 모든 사람은 죄라는 병을 앓고 있었고, 그는 그들을 치료하기 위해 온 의사였다. 모든 사람은 죄와 무지라는 어둠 속에 빠져 있었고, 그는 세상의 빛이었다. 모든 사람은 죄인이었고, 그는 그들의 구주가 되기 위해 태어나 죄를 용서받게 하기 위해 피흘려 죽은 것이었다. 모든 사람은 굶주려 있었고, 그는 그들의 현재의 생명이요 이후의 부활이 될 수 있었다. 이 모든 비유들은 그가 의식하고 있던 도덕적 독특성을 나타내고 있다.

따라서 예수님이 시험받았다는 이야기는 있지만 죄가 있다는 이야기는 당연히 없다. 그는 제자들에게 죄를 시인하고 용서를 구하라고 하였지만, 자신은 죄를 시인한 적도 용서를 구한 적도 없다. 도덕적 과오를 자각하는 것을 보인 적도 없고, 죄의식을 느낀 적도, 하나님으로부터 단절된 느낌을 가진 것처럼 보인 적도 없다. 그는 요한이 베푼 "회개의 세례"를 받았다. 그러나 요한은 그리스도에게 세례를 베풀기 전 이의를 제기했다. 그리스도가 "회개의 세례"를 받은 것은 자기가 죄인임을 인정해서가 아니라, "모든 의를 이루기 위해서"(마 3:15)였고, 또 자기를 세상의 죄인들과 동일시하기 위함이었다. 그는 아버지와 끊임없는 교제의 생활을 한 것 같다.

이렇게 도덕적 결함이 전혀 없는 것과 하나님과의 거칠 것이 없는 교제를 가진 것은 두 가지 이유에서 특별히 주목할 만하다.

첫째, 예수님이 매우 예리한 도덕적 판단력을 가졌다는 것이다.

"또 친히 사람의 속에 있는 것을 아시므로"(요 2:25). 복음서에 보면 그는 무리들의 마음속에 있는 의문과 당황을 읽었다고 종종 기록하고 있다. 그는 자신의 명확한 감지력 때문에 바리새인들의 이중성을 두려움 없이 폭로할 수 있었고, 그들의 위선을 미워했다. 그는 구약 선지자들의 저주처럼 무시무시한 저주를 그들에게 퍼부었다. 허식과 가장은 그에게 가증한 것이었다. 그러나 그의 날카로운 눈도 자신에게서는 아무 죄를 찾을 수 없었다.

그의 자의식적 순결이 놀라운 두 번째 이유는, 그것이 모든 성자들과 신비한 인물들의 경험과는 전혀 다르다는 데 있다. 그리스도인은 하나님께 가까이 갈수록 자신의 죄를 더욱 잘 알게 된다는 것을 알고 있다. 이런 면에서 성도는 현대 과학자와 유사하다. 과학자는 많이 발견할수록 자신의 발견을 기다리고 있는 신비가 더 많이 있음을 깨닫는다. 이와 마찬가지로, 성도는 그리스도의 형상을 닮아 갈수록 자신이 그리스도로부터 너무도 떨어져 있음을 깨닫게 된다.

독자의 경험으로 이것이 이해되지 않으면 어떤 그리스도인의 전기든지 읽어 보라. 그러면 이 사실을 충분히 확인할 수 있을 것이다. 한 가지 예를 들겠다. 데이비드 브레이너드는 19세기 초 델라웨어의 인디언들에게 전도하는 젊은 개척 전도사였다. 그의 일기와 편지를 보면, 그가 그리스도에게 얼마나 수준 높은 헌신을 했는지 잘 알 수 있다. 그는 29세의 젊은 나이로 죽을 만큼 심한 고통과 허약한 신체 때문에 고생했음에도 불구하고 자신을 남김없이 사역에 드렸다. 그는 말을 타고 밀림을 헤치고 다니면서 쉴새없이 설교하고 가르쳤다. 들에서 잠을 잤으며 안정된 집이나 가정생활이 없어도 만족했다. 그의 일기는 "사랑하는 인디언들"에 대한 사랑과 기도, 그리고 구주께 드리는 찬양으로 가득했다.

사람들은 이 사람이야말로 죄로 더럽혀진 적이 거의 없는 최고의 성도라고 생각할 것이다. 그러나 그의 일기를 보면, 거듭거듭 자신의 도덕적 "부패"를 한탄하고 있다. 그는 자신의 기도 부족과 그리스도에 대한 사랑의 부족을 한탄하며, 자신을 "불쌍한 벌레", "무용지물", "이루 말할 수 없이 무가치하고 비참한 존재"라고 부른다. 그가 자기를 책망했던 것은 병적인 양심 때문이 아니었다. 그저 그리스도와 가까이 살았기 때문에 자신의 죄 많음을 뼈저리게 깨닫고 있었던 것이다.

> 주님을 가장 잘 섬기기를 기뻐하는 사람은
> 자기 안에 있는 잘못을 가장 많이 의식한다.

그러나 그리스도는 어느 누구보다도 하나님 가까이 살았지만 어떤 죄의식도 없었다.

그리스도의 친구들의 견해

앞에서 본 바와 같이, 그리스도는 자신이 메시아와 하나님의 아들이라고 믿었던 것만큼 자신이 죄가 없다고 믿었음이 분명하다. 그렇지만 그가 자신이 메시아와 하나님의 아들이라고 믿은 것이 그렇듯이 죄 없다는 생각은 그릇된 것이 아닐까? 제자들은 어떻게 생각했을까? 예수님의 생각에 동조했을까?

그리스도의 제자들은 믿을 수 없는 증인이라고 생각할 수도 있다. 그들은 편파적이어서 예수님을 실제 이상으로 아름답게 묘사했다는 주장이 계속되어 왔다. 그러나 그것은 사도들에 대한 엄청난 중상이다. 그들의 증거는 흔히 생각되는 것보다 훨씬 더 가치 있다. 따라서 이 문제에 관한 그들의 진술은 그렇게 가볍게 기각될 수 없는 것이다. 그들의 증거를 확신을 가지고 신뢰할 수 있는 몇 가지 이유가 있다.

첫째, 그들이 약 3년 동안 예수님과 아주 가까이 살았다는 것이다. 그들은 예수님과 함께 먹고 함께 잤다. 같은 배라는 뗄래야 뗄 수 없는 삶을 경험했던 것이다. 심지어 그들은 돈 주머니도 공동으로 사용했다(돈을 같이 쓰는 것이야말로 불화를 낳는 가장 흔한 씨이다). 제자들은 서로의 신경을 거슬렀다. 그래서 자기들끼리 많이 다투었다. 그러나 자기들에게서 발견하는 죄를 예수님에게서는 찾아볼 수가 없었다. 친하게 지내면 흔히 서로를 무시하게 되는데, 이 경우는 그렇지 않았다. 베드로와 요한은 그리스도가 죄 없음을 앞장서서 증거한 사람들이다(앞으로 보게 될 것이다). 이들은 예수님과 아주 친밀한 내부 그룹(베드로, 야고보, 요한으로 구성됨)에 속하는 특권으로 더욱 깊은 계시를 받았다.

둘째, 사도들은 어릴 때부터 구약의 교리 사상에 젖어 있던 유대인이었다. 그들이 분명히 받아들였을 구약 교리 가운데 하나는 인간 죄의 보편성이었다.

"우리는 다 양 같아서 그릇 행하여 각기 제 길로 갔거늘." 사 53:6

"다 치우쳤으며 함께 더러운 자가 되고 선을 행하는 자가 없으니 하나도 없도다." 시 14:3

만일 그들이 이 가르침에 동화되어 있었다면—물론 그랬겠지만—쉽게 어떤 사람이 죄 없다고 할 수 없었을 것이다.

셋째, 예수님이 죄가 없다는 사도들의 증거는 간접적이기 때문에 더욱 믿을 만하다. 그들은 예수님이 죄가 없다는 진리를 증거하려는 목적으로 이런 사실들을 제시하지 않았다. 그들의 말의 주제는 그것이 아니었다. 다른 문제를 논하던 가운데 예수님의 죄 없음을 마치 삽입구처럼 첨가했던 것이다. 따라서 그들의 말은 의도적이지 않았다.

먼저 베드로는 예수님을 "흠 없고 점 없는 어린 양"(벧전 1:19)으로 묘사하고, 계속해서 예수님은 죄를 범하지 않았고 그 입에 궤사도 없었다고 말한다(벧전 2:22). 요한은 요한일서 첫 부분에서,

모든 사람은 죄인이며 만일 우리가 죄가 없거나 범죄하지 않았다고 하면 거짓말하는 것이요 하나님을 거짓말쟁이로 만드는 것이라고 대담하게 선언한다(요일 1:8-10). 그러나 계속해서 우리 죄를 없이 하려고 나타나신 그리스도에게는 죄가 없다고 말한다(요일 3:5).

베드로와 요한의 증거 외에도 바울과 히브리서 기자의 말을 첨가할 수 있다. 그들은 예수님을 "죄를 알지도 못하신 자"(고후 5:21)이며 "거룩하고 악이 없고 더러움이 없고 죄인에게서 떠나 계시고 하늘보다 높이 되신 자"(히 7:26)라고 한다. 실로 그는 "모든 일에 우리와 한결같이 시험을 받은 자로되 죄는 없다"(히 4:15).

그리스도의 대적들의 시인

예수님의 대적들이 그를 어떻게 생각했는가를 살펴보면, 우리가 믿는 것이 얼마나 확실한 근거를 가지고 있는지 알 수 있을 것이다. 그들에게는 분명히 편견-최소한 예수님에게 호의적인 편견-이 없었다. 복음서에는 그들이 예수님을 엿보았다고 기록하고 있다(막 3:2). 그들은 "예수의 말씀을 책잡으려"(막 12:13) 하였다. 논쟁에서 논리로 이길 수 없을 때는 인신공격을 하게 된다. 정당한 이유가 없을 때는 중상이 좋은 대치물인 것이다. 심지어 교회의 역사도 개인적 증오라는 오점으로 얼룩져 있다. 예수님의 대적들도 그러했다.

마가는 마가복음 2:1-3:6에 그들의 비난 4가지를 모아 놓고 있다. 첫째 비난은 신성 모독을 했다는 것이었다. 예수님은 어떤 사람의 죄를 사하여 주었다. 이것은 하나님의 권한을 침해한 것이었다. 이것은 하나님을 모독하는 교만이라고 그들은 말했다. 그러나 그것은 가장 큰 질문을 우회적으로 표현하는 것이다. 만일 예수님이 진실로 하나님이었다면 죄를 사하는 것은 그의 특권이다.

둘째 비난은, 예수님이 죄인들과 사귀는 것이 혐오스럽다는 것이었다. 예수님은 죄인들과 친하게 지냈다. 세리들과 함께 식사를 했고 창녀들과 교제를 했다. 바리새인들은 이런 행위를 꿈에도 생각할 수 없었다. 그들이었다면 이런 인간쓰레기들과 맞닥뜨릴까 봐 옷자락을 걷고 도망갔을 것이다. 그렇게 함으로써 자신을 의롭다고 생각하는 것이 바리새인의 생리였다. 그들은 죄가 없으면서도 "죄인들의 친구"라는 명예로운 이름을 얻은 예수님의 은총과 자애로움을 이해할 수가 없었다.

셋째 비난은, 신앙생활이 천박하다는 것이었다. 예수님은 바리새인들같이, 아니 세례 요한의 제자들만큼도 금식하지 않았다. 그는 "먹기를 탐하고 포도주를 즐기는 사람"(마 11:19)이었다. 그런 비난에는 반론을 제기할 가치도 없다. 예수님이 기쁨이 충만한 생활을 한 것은 사실이지만, 또한 신앙생활을 중요하게 여겼다는 것도 의심의 여지가 없다.

넷째 비난은, 안식일을 어겼다는 것이었다. 예수님은 안식일에 병을 고쳤고, 그의 제자들은 안식일에 밀밭 사이를 지나면서 밀을 뽑아 비벼서 먹기까지 하였다. 서기관과 바리새인들에게는 이런 행동이 수확하고 타작하는 것과 같았다. 그러나 예수님이 하나님의 율법에 복종하였다는 것을 의심하는 사람은 없을 것이다. 그는 스스로 율법에 복종하였고, 또 논쟁시에는 대적들에게 율법을 판정 근거로 제시하였다. 그도 역시 하나님께서 안식일을 만드셨으며, 인간의 유익을 위해 만드셨다고 주장했다. 그러나 그는 자기가 "안식일의 주인"으로서 인간의 그릇된 전통을 깨고 하나님의 율법을 바로 해석할 권리가 있다고 주장했다.

이런 모든 비난들은 사소한 것이거나 논점 회피에 불과하다. 예수님이 심판을 받을 때 비방자들은 거짓 증인들을 고용해야 했지만, 그것마저도 서로 일치되지 않았다. 더군다나 그들이 예수님에 대해 제기할 수 있었던 유일한 비난마저도 도덕적인 것이 아니라 정치적인 것이었다. 그리고 이 당당한 죄수는 사람들 앞에 서서 심문을 받을 때 거듭거듭 자신이 의롭다고 주장했다.

빌라도는 이 문제를 피하려는 비겁한 시도를 몇 차례 한 후, 공개적으로 손을 씻으며 자신이 "이 사람의 피에 대하여 무죄함"(마 27:24)을 선언했다. 헤롯도 그에게서 허물을 발견할 수 없었다(눅 23:15). 배반자 유다는 양심에 가책을 받아 은 삼십을 제사장들에게 던지면서 소리쳤다. "내가 무죄한 피를 팔고 죄를 범하였도다"(마 27:4). 죄를 뉘우친 십자가상의 강도는 예수님을 욕하는 다른 강도를 꾸짖었다. "이 사람의 행한 것은 옳지 않은 것이 없느니라" (눅 23:41). 마지막으로, 백부장은 그리스도가 고통당하다 죽는 것을 보면서 외쳤다. "이 사람은 정녕 의인이었도다"(눅 23:47).

그리스도에 대한 우리의 평가

예수님의 인격 평가를 위해 굳이 다른 사람들의 증거를 의지할 필요가 없다. 우리 스스로 평가할 수 있기 때문이다. 예수님의 도덕적 완전에 대해서는 예수님 자신이 차분하게 주장하였고, 제자들이 단정적으로 확인하였으며, 대적들도 할 수 없이 시인했다는 것이 복음서 안에 분명히 나타나 있다.

우리에게는 스스로 판단할 수 있는 충분한 기회가 있다. 복음서 기자들에 의해 묘사된 예수님의 모습은 포괄적이다. 사실 복음서의 내용은 대부분 약 3년밖에 안 되는 그의 공생애에 대한 설명이다. 그러나 소년 시절에 대해서도 약간의 묘사가 있다. 누가는 2회에 걸쳐 예수님이 알려지지 않았던 나사렛 시절에 그의 몸과 마음과 영혼이 자연스럽게 성장했으며, 하나님과 사람에게 사랑스러워 갔다고 이야기한다(눅 2:40, 52).

우리는 그가 제자들과 함께 한적한 곳으로 가는 것을 보는가 하면, 떠들썩한 군중 속에 있는 것을 발견하기도 한다. 또한 갈릴리에서 사역하던 그를 군중들이 영웅으로 숭배하고 억지로 붙잡아 자기들 방식대로 왕을 삼으려 한 것도 본다. 그는 예루살렘 성전 안에서 사두개인과 바리새인들에게 교묘한 질문을 받은 적도 있다. 그러나 현기증 날 정도로 높은 성공의 위치에 오르든, 쓰라린 배척의 심연에 홀로 빠지든 여전히 그는 예수님이다. 그는 변함이 없다. 변덕이 없는 것이다.

다시 말하자면 그의 모습은 안정되어 있다. 그는 자신이 가르치는 것을 열렬히 믿었다. 그렇다고 광신자는 아니었다. 그의 교리는 인기가 없었다. 그렇다고 괴상한 것은 아니었다. 그의 신성에 대한 증거만큼 인성에 대한 증거도 있었다. 그는 피로를 느꼈다. 다른 사람들처럼 먹고 마시고 잠을 자야 했다. 기쁨과 슬픔, 사랑과 분노의 인간 감정을 경험했다. 그는 완전히 인간이었다. 그러나 단순히 사람만은 아니었다.

무엇보다도 그는 비이기적이었다. 이것보다 특이한 것은 없다. 자신의 신성을 믿었지만, 교만하거나 자신의 위엄을 의지하지 않았다. 사람들은 자기가 다른 사람보다 낫다고 생각하면 뽐내기 쉬운데, 그는 그렇지 않았다. 잘난 체가 없이 겸손했다.

그의 가르침이 자기 중심성을 지닌 데 반해 그의 행동은 역설적이다. 자기 중심성을 지닌 것이 난처할 정도였다. 생각에 있어서는 자신을 첫째에 두었지만 행동에 있어서는 자신을 마지막에 두었던 것이다. 그는 가장 위대한 자기 존중과 가장 위대한 자기 희생, 양자를 나타내 보였다. 그는 자신이 만인의 주임을 알았지만 만인의 종이 되었다. 그는 세상을 심판하러 왔다고 했지만 제자들의 발을 씻어 주었다. "인자의 온 것은 섬김을 받으려 함이 아니라 도리어 섬기려 하고 자기 목숨을 많은 사람의 대속물로 주려 함이니라" (막 10:45).

그가 포기한 것은 엄청난 것이었다. 세상의 슬픔을 위하여 하늘의 기쁨을 버리고, 영원히 죄가 가까이 올 수 없는 특권을 이 세상 악과의 고통스러운 접촉으로 바꾸었다고 (우리는 물론 그도) 주장한다. 그는 베들레헴이라는 작은 마을의 지저분한 마구간에서 태어났다. 그의 어머니는 미천한 히브리인이었다. 그는 아기 때 애굽으로 피난했었고, 나사렛이라는 외딴 마을에서 성장했으며, 목수 일을 하여 어머니와 동생들을 부양했다. 때가 되자 그는 순회 설교자가 되었다. 재산이라고는 겨우 몇 개의 생활용품밖에 없었으며 집도 없었다. 그는 천한 어부들이나 세리들과 친구가 되었다. 문둥병자를 만졌고, 또 창녀가 자신을 만지도록 허락했다. 그는 끊임없이 병을 치료하고 도와주며 가르치고 설교하는 일을 했다.

그는 오해받고 잘못 전해졌으며, 편견과 기존 세력의 희생자가 되었다. 자기 민족에게 멸시와 배척을 당하고, 자기 친구에게 버림을 당했다. 등에 채찍을 맞았으며, 얼굴에 침 뱉음을 당했고, 머리에는 가시관을 썼으며, 천한 로마의 교수대에 손과 발이 못박혔다. 그 끔찍한 못이 박힐 때도 그는 계속 자신을 핍박하는 자들을 위해 기도했다. "아버지여 저들을 사하여 주옵소서 자기의 하는 것을 알지 못함이니이다."

이러한 사람은 도무지 우리가 도달할 수 없는 사람이다. 그는 우리가 모두 실패하는 영역에서 성공하였다. 그는 자신을 완전히 극복했다. 그는 결코 보복하지 않았다. 분해하거나 화를 내지도 않았다. 그는 자기를 극복했기 때문에, 사람들이 어떻게 말하고 생각하고 행하든 상관없이 자기를 부인하고 하나님의 뜻과 인류의 행복을 위해 자기를 드렸다. "나는 나의 원대로 하려 하지 않고", "내 영광을 구치 아니하노라"(요 5:30, 8:50). 그의 말이다. 바울은 "그리스도께서 자기를 기쁘게 하지 아니하셨나니"(롬 15:3)라고 기록하였다.

하나님과 인간을 섬기기 위해 자신을 전혀 돌아보지 않는 이것을 성경은 사랑이라고 부른다. 사랑에는 자기 유익이 없다. 사랑의 진수는 자기 희생이다. 아무리 사악한 사람도 때때로 나타나는 그러한 고상함의 섬광 때문에 칭송받는다. 그러나 예수님의 생애는 영원히 꺼지지 않고 타오르는 횃불로 그것을 비추었다.

예수님은 이기심이 없었으므로 죄가 없었다. 이기심 없음이 바로 사랑이다. 그리고 하나님은 사랑이시다.

4
그리스도의 부활

이제까지 우리는 예수님의 엄청난 주장들을 고찰해 보고 또 예수님이 보여 주었던 비이기적인 인격을 관찰했다. 이제 우리는 그가 죽은 자 가운데서 다시 살아난 역사적 사건에 대한 증거를 검토할 것이다.

분명히 부활은 커다란 의미를 지니고 있다. 만일 나사렛 예수가 죽은 자 가운데서 부활했다면, 그가 유일한 인물임은 논쟁의 여지가 없다. 이것은 그의 영적 생존 문제도 육신적 소생 문제도 아닌, 사망 정복과 완전히 새로운 차원의 존재로의 부활에 관한 문제이다. 우리는 다른 어떤 누구라도 이런 경험을 했다는 것을 들어 보지 못했다. 따라서 현대인들은 바울이 아레오바고에서 했던 설교를 들었던 아텐의 철학자들만큼이나 냉소적이다. "저희가 죽은 자의 부활을 듣고 혹은 기롱도 하고"(행 17:32).

우리의 주장은 그의 부활이 그의 신성을 입증한다는 것이 아니라 그것이 그의 신성과 일치한다는 것이다. 초자연적 인물은 초자연적 방법으로 세상에 오고 또 가는 것이 합당하다. 사실 이것이 신약성경이 가르치고 교회가 믿는 것이다. 예수님의 출생은 자연적이었지만 잉태는 초자연적이었다. 그의 죽음은 자연적이었지만 부활은 초자연적이었다. 기적적인 잉태와 부활이 그의 신성을 증명하지는 않지만 신성에 부합되는 것이다.[1]

예수님은 자신의 고난을 예언할 때는 반드시 부활할 것을 이야기했으며, 다가오는 그의 부활을 하나의 "표적"으로 묘사했다. 바울은 로마서 시작 부분에서 예수님은 "죽은 가운데서 부활하여 능력으로 하나님의 아들로 인정되셨으니"(롬 1:4)라고 썼다. 그리고 사도행전에 기록된 사도들의 초기 설교는, 하나님께서 부활을 통하여 인간들의 판결을 뒤집고 자기 아들의 옳음을 입증했다고 주장한다.

정확하고 근실한 역사가로 알려져 온 누가는 이 부활에 대해 "확실한 많은 증거"(행 1:3)가 있다고 말한다. 우리는 부활을 "역사상 가장 잘 증명된 사실"이라고 한 토머스 아놀드만큼 강하게 느낄 수

---

1. 이 문제를 살펴보기 원하는 독자들은 James Orr, *The Virgin Birth of Christ*, Hodder & stoughton, 1907과 J. Gresham Machen, *The Virgin Birth*, Marshall, Morgan & Scott, 1936을 참조하라.

없을지 몰라도, 분명히 수많은 공정한 연구자들이 그 증거가 지극히 양호하다고 판단했다. 한 예로 클라크Edward Clarke, K. C. 경은 매카시E. L. Macassey목사에게 이렇게 썼다.

> 저는 법률가로서 첫 부활절 사건에 대한 증거를 오랫동안 연구해 왔습니다. 저에게는 그 증거가 확정적입니다. 대법정에서 저는 거듭거듭 그다지 설득력이 없는 증거를 근거로 판결을 해왔습니다. 추론은 증거를 따릅니다. 그리고 신실한 증거는 항상 꾸밈이 없고 결과에 개의치 않습니다. 부활에 대한 복음서의 증거가 바로 이렇습니다. 그래서 저는 법률가로서 신실한 사람들이 확증할 수 있었던 사실들에 대한 증거를 남김없이 받아들입니다.

이 증거란 어떤 것일까? 4가지로 요약할 수 있다.

시체가 사라졌다

복음서 네 권에 있는 부활 이야기는 부활절 아침 여인들이 무덤으로 찾아간 것으로 시작된다. 그 여인들은 도착하자마자 주님의 시체가 사라진 것을 발견하고 아연 실색한다.

그 후 얼마 지나지 않아서 사도들은 예수님이 부활했다고 전하기 시작했다. 그것이 그들이 전한 메시지의 요점이었다. 그러나 사람들이 직접 가서 요셉의 무덤에 예수님의 시체가 아직 누워 있는 것을 볼 수 있었다면, 그 말을 사람들이 믿으리라고는 기대할 수 없었을 것이나. 그러나 그렇지 않았다. 무덤은 비어 있었고 시체는 사라졌다. 이 사실은 의심의 여지가 없다. 문제는 이것을 어떻게 설명하느냐 하는 것이었다.

첫째, 여인들이 다른 무덤을 찾아갔다는 설명이 있다. 그때는 아직 어두웠고 여자들은 슬픔 때문에 제정신이 아니었다. 따라서 쉽게 실수를 범할 수 있었을 것이라는 주장이다.

이 주장은 표면상으로는 그럴 듯하게 들린다. 하지만 검토해 보면 그렇지 못하다. 우선 그때는 완전히 캄캄하지 않았다. 요한이 "아직 어두울 때에"(요 20:1) 여자들이 무덤에 왔다고 한 것은 사실이다. 그러나 마태복음 28:1은 "동틀 무렵에"(현대인의성경, toward the dawn), 누가는 "새벽에"(눅 24:1), 그리고 마가는 분명하게 "해 돋은 때에"(막 16:2)라고 말하고 있다.

더구나 이 여인들은 결코 바보가 아니었다. 이들 중 최소한 두 사람은 요셉과 니고데모가 시체를 넣어 둔 곳을 보았다(막 15:47; 눅 23:55). 그들은 "무덤을 향하여 앉아서"(마 27:61) 장사하는 것을

예수님의 부활이 거짓이라는 가설

- 다른 무덤을 찾아갔다.
- 기절했었다.
- 도둑이 훔쳐 갔다.
- 제자들이 가져갔다.
- 로마인 & 유대인 당국자들이 치웠다.

끝까지 지켜보기까지 하였다. 바로 그 두 사람(막달라 마리아와 요셉의 어머니 마리아)이 새벽에 살로메(막 16:1)와 요안나와 다른 여자들(눅 24:10)을 데리고 다시 돌아왔다. 따라서 한 사람이 길이나 무덤을 잘못 찾았다면 다른 사람이 지적해 주었을 것이다. 또 막달라 마리아가 처음 왔을 때는 무덤을 잘못 찾았다 하더라도, 날이 완전히 밝은 아침에 다시 와서 동산에서 한참 다니다가 예수님을 만났다면 다시 실수를 했을 리가 없다.

뿐만 아니라 단지 감정적인 슬픔 때문이었다면 그렇게 일찍 무덤에 찾아가지 않았을 것이다. 그들은 실제적인 일에 마음을 쓰고 있었다. 향품을 사 두었고, 주의 시체에 기름 바르는 일을 마치려 하고 있었다. 그것은 안식일이 다가와서 이틀이나 빨리 그 일을 서둘러야 했기 때문이다.

이들 헌신적이고 사무적인 여인들은 쉽게 속거나 하려던 일을 포기할 사람들이 아니었다. 다시 말하지만, 혹시 그들이 무덤을 잘못

찾았다고 가정한다 해도 그들의 이야기를 확인하기 위해 달려왔던 베드로와 요한도 똑같은 실수를 범했을까? 그리고 그들보다 후에 왔던 요셉과 니고데모 등의 다른 사람들도 그랬을까?

둘째, 기절했었다는 주장이다. 이들은, 예수님이 십자가 위에서 죽지 않고 단지 기절했을 뿐이라고 말한다. 그후 무덤에서 깨어나 그곳을 떠났다가 제자들에게 나타났다는 것이다.

이 주장에는 문제가 많다. 철저한 곡해인 것이다. 증거는 이것을 완전히 부정한다. 빌라도는 예수님이 빌써 죽었을까 하고 이상히 여겼지만 백부장이 그것을 확인해 주었다(막 15:44-45). 그래서 빌라도는 충분히 확신을 하고 요셉에게 시체를 가져가라고 허락하였다. 백부장이 빌라도가 필요로 하는 확인을 줄 수 있었던 것은 "한 군병이 창으로 옆구리를 찌르니 곧 피와 물이 나왔는데"(요 19:34), 그때 그가 분명히 그곳에 있었기 때문이다. 그렇게 허락을 받고 요셉과 니고데모는 예수님의 시체를 내려다가 수의로 싸서 요셉의 새 무덤 속에 넣어 두었다.

그런데도 예수님이 그동안 계속 기절해 있었다고 믿을 수 있을까? 그 가혹한 행위와 고통스런 심문, 조롱, 채찍질, 그리고 십자가에 못박힘을 당한 후, 온기도 먹을 것도 없고 상처를 치료받지도 못한 채 돌 무덤 속에서 36시간이나 생존할 수 있었을까? 그런 후에 무덤 입구를 막고 있는 돌을 밀어 내는 초인적인 힘을 발휘할 정도로 충분히 기력을 회복할 수 있었을까? 그것도 무덤을 지키고 있는 로마 병정들에게 들키지 않고서 말이다. 또 약하고 병들고 굶주린 그가 제자들 앞에 나타나 죽음을 극복했다는 인상을 줄 수 있었을까? 그런 그가 죽었다가 다시 살아났다고 주장할 수 있었겠으며, 제자들을 온 세계에 보내면서 세상 끝날까지 함께 있겠다고 약속할 수 있었겠는가?

그런 그가 분명 어느 누구도 먹을 것과 있을 곳을 제공해 주지 않았는데도 어디선가 40일 동안 숨어 살면서 때때로 놀랍게 나타났다가 소리도 없이 사라질 수 있었겠는가? 그런 것을 믿는다는 것은 도마가 믿지 못했던 것보다 더 믿기 어렵다.

셋째, 도둑이 시체를 훔쳐 갔다는 설명이 있다. 이런 추측에는 증거가 하나도 없다. 도둑들이 무덤을 지키는 로마 병정들을 어떻게 속였으며, 돌을 어떻게 옮겼는지에 관해 전혀 설명할 길이 없다. 또 도둑들이 시체를 훔쳐 가면서 수의를 남겨 놓은 이유나, 그들이 그런 행위를 한 동기는 상상도 되지 않는다.

넷째, 제자들이 시체를 가져갔다는 주장이 있다. 이것은 처음부터 유대인들이 퍼뜨린 소문이라고 마태는 이야기하고 있다(마 28:13). 마태는 빌라도가 요셉에게 그리스도의 시체를 가져가도록 허락한 후, 대제사장과 바리새인의 대표들이 빌라도를 찾아가 어떤 이야기를 했는지를 설명한다.

"주여 저 유혹하던 자가 살았을 때에 말하되 내가 사흘 후에 다시 살아나리라 한 것을 우리가 기억하노니 그러므로 분부하여 그 무덤을 사흘까지 굳게 지키게 하소서 그의 제자들이 와서 시체를 도적질하여 가고 백성에게 말하되 그가 죽은 자 가운데서 살아났다 하면 후의 유혹이 전보다 더 될까 하나이다 하니 빌라도가 가로되 너희에게 파수꾼이 있으니 가서 힘대로 굳게 하라 하거늘 저희가 파수꾼과 함께 가서 돌을 인봉하고 무덤을 굳게 하니라." 마 27:63-66

마태는 계속해서 돌도, 인봉한 것도, 파수꾼도 부활을 지지할 수 없었던 이유와 파수꾼이 성에 들어가 대제사장들에게 일어난 일을 어떻게 보고하였는지를 기술한다. 보고를 받은 후 그들은 함께 의논을 하고 군병들에게 돈을 많이 주면서 말했다.

"너희는 말하기를 그의 제자들이 밤에 와서 우리가 잘 때에 그를 도적질하여 갔다 하라 만일 이 말이 총독에게 들리면 우리가 권하여 너희로 근심되지 않게 하리라." 마 28:13-14

마태는 이 이야기의 설명을 이렇게 끝맺는다.

"군병들이 돈을 받고 가르친 대로 하였으니 이 말이 오늘날까지 유대인 가운데 두루 퍼지니라." 마 28:15

이 이야기는 이치에 맞지 않는다. 선발된 파수꾼들이 로마인이든 유대인이든, 무덤을 지키도록 명령을 받았는데 근무 중에 모두 잠든다는 것이 가능할까? 그리고 파수꾼들이 깨어 있었다면, 꾀도 없고 무방비 상태인 여자들이 어떻게 그들을 지나가서 돌을 굴려 낼 수 있었겠는가?

백보 양보해서 제자들이 주님의 시체를 훔치는 데 성공했다고 가정해도, 이 가설 전체에 상반되는 심리적 요인이 존재한다. 사도행전 첫 부분에서 사도들이 유대인에게 전한 메시지의 요지는 부활이었다. "너희는 그를 죽였지만 하나님께서는 그를 살리셨고 우리는 그 증인이다."라는 내용을 그들은 반복했다. 그러면 우리는 그들이 꾸며낸 거짓말을 선포했다고 믿어야 할까? 만일 그들이 그리스도의 시체를 훔쳐 갔다면, 그리스도의 부활을 전파하는 것은 이미 알고 있는 계획된 거짓을 퍼뜨리는 것이 된다. 그러나 그들은 그것을 전파했을 뿐만 아니라 그것을 위해 고난을 당하기도 했다. 한낱 꾸민 이야기를 위해 옥에 갇히고 채찍에 맞아 죽기까지 할 각오가 되어 있었다는 말인가?

이것은 옳게 들리지 않는다. 거의 불가능에 가깝도록 가능성이 희박하다. 복음서와 사도행전을 통해 분명한 것이 있다면, 사도들이 진지했다는 것이다. 그들은 속았을지는 몰라도 속이는 자는 아니었다. 위선자와 순교자는 한 성품에서 나오지 않는다.

다섯째, 그리스도의 시체가 사라진 것에 대한 인간의 설명 중 가장 타당성이 없는 것으로 로마인 또는 유대인 당국자들이 시체를 치웠다는 설명이 있다. 시체를 안전히 지킬 수 있는 곳으로 가져가고 싶은 욕망은 충분한 동기가 된다. 그들은 그리스도가 부활을 이야기했다는 소문을 들었다. 따라서 혹시 속임수를 쓸까봐 시체를 압수하는 예방 조치를 취했다는 것이다.

그러나 이 추측은 금방 무너지고 만다. 몇 주도 지나지 않아서 사도들이 담대하게 그리스도께서 부활하셨다고 선포했다. 이 소식은 신속하게 퍼졌다. 이 새로운 나사렛 운동은, 유대교의 굳건한 벽을 허물고 예루살렘의 평화를 해칠 만큼 위협적이있다. 유대인들은 개종을 두려워했고, 로마인들은 폭동을 우려했다. 당국자들이 취할 행동은 단 한 가지밖에 없었다. 보관했던 시체를 보여 주며 그들이 한 일을 알리는 것이었다.

그러나 그들은 그렇게 하는 대신에 아무 말도 하지 않고 폭력을 사용했다. 사도들을 잡아들이고 위협하고 채찍질하고 옥에 넣고 헐뜯고 모략하고 죽였다. 그들이 만일 그리스도의 시체를 가지고 있었다면 이 모든 일은 전혀 불필요한 것이었다. 교회는 부활을 기초로 세워졌다. 부활이 그릇됨이 증명되었다면 교회는 붕괴되었을 것이다. 그러나 그들은 그렇게 할 수 없었다. 시체가 그들에게 없었던 것이다. 당국자들의 침묵은 사도들의 증언만큼이나 부활에 대한 웅변적인 증거이다.

이제까지 살펴본 이론들은 빈 무덤과 사라진 시체를 설명하기 위해 사람들이 만들어 낸 것이다. 이들 중 어느 하나도 만족할 만한 것은 없다. 이처럼 적절한 설명이 없기 때문에 이 사건에 대한 성경의 설명을 받아들여도 될 것이다. 복음서에는 단순하고도 진지한 역사적 기사가 있어 첫 번째 부활절에 일어난 일을 설명하고 있다. 그리스도의 시체는 인간이 옮기지 않았다. 하나님께서 다시 살리셨다.

수의가 헝클어지지 않았다

그리스도의 시체가 사라졌다고 말하는 기자가 수의는 그대로 있었다고 한 사실은 주목할 만한 일이다. 이 사실을 특별히 강조한 사람은 요한인데, 그것은 그가 그 극적인 날 아침 베드로와 함께 무덤으로 달려갔었기 때문이다.

이 사건에 대해 그는 직접 경험이라는 틀릴 수 없는 증거를 근거로 하고 있다(요 20:1-10). 자신이 목격한 것을 기술하고 있는 것이다. 그는 "예수의 사랑하시던 그 다른 제자"(2절)였다. 그는 베드로보다 빨리 달려서 무덤에 이르렀으나 무덤 밖에서 들여다보기만 하다가 베드로가 도착한 후 무덤으로 들어갔다. "그 때에야 무덤에 먼저 왔던 그 다른 제자도 들어가 보고 믿더라"(8절). 문제는, 그로 하여금 보고 믿도록 한 것이 무엇인가 하는 것이다. 이 이야기에 의하면, 단순히 시체만 없어진 것이 아니었다. 수의가 남아 있었는데, 그것도 특이하게 헝클어지지 않고 정리되어 있었다.

이 사건의 줄거리를 재구성해 보자.[2]

요한은 이렇게 말한다(19:38-42). 요셉은 빌라도에게 예수의 시체를 달라고 간청하였으며, 니고데모는 몰약과 침향 섞은 것을 백 근쯤 가지고 왔다. 그들은 예수의 시체를 가져다가 유대인의 장례법대로 향품과 함께 세마포로 쌌다. 즉, 세마포(아마포) 띠로 예수님의 시체를 동여매면서 그 사이에 향료 가루를 뿌렸다. 물론 나사로의 경우와 같이(11:44) 머리는 별개의 천으로 쌌다. 이렇게 해서 동양의 관습대로 얼굴과 목만 드러나도록 두고 몸과 머리를 천으로 감아 쌌다. 그러고 나서 동굴 무덤 한쪽에 만들어 둔 돌판 위에 시체를 놓았다.

이제 예수님의 부활이 실제로 일어났을 때 우리가 무덤 속에 있었다고 가정해 보자. 어떤 광경을 볼 수 있었을까? 예수님이 움직이기 시작하다가 하품을 하고 기지개를 켠 다음 일어서는 것을 보았을까? 그렇지 않았을 것이다. 그가 이런 생명을 되찾았으리라고는 믿지 않는다. 그는 기절 상태에서 회복하지 못했다. 그는 죽었다. 그리고 부활했다. 그는 부활했지 소생하지 않았다. 우리는 그가 기적적으로 죽음을 통과하여 전혀 새로운 존재 세계로 들어갔다고 믿는다.

그렇다면 우리가 그곳에 있었을 경우 무엇을 보았을까? 갑자기 시체가 사라지는 것을 목격했을 것이다. 시체는 "증발하여" 새롭고

---

2. Henry Latham, *The Risen Master*, LeightonBell, 1904.

기이한 것으로 변했을 것이다. 그리고 훗날 닫힌 문을 통과했듯이 수의를 통과하여 나가고, 수의는 거의 건드리지 않은 채 그대로 남겨 두었을 것이다. 거의 그랬을 것이라는 것이지 완전히 그랬다는 것은 아니다.

백 근이나 되는 향료가 스며 있는 수의는, 지탱해 주던 시체가 빠져 나가자 내려앉거나 쭈그러져 납작하게 되었을 것이다. 그리고 몸을 쌌던 천과 머리를 감았던 천 사이에는 간격, 즉 얼굴과 목이 있었던 자리만큼의 간격이 있었을 것이다. 머리를 감았던 천은 붕대 감듯 종횡으로 엇갈려 복잡하게 감았기 때문에 우묵한 형태를 그대로 가지고 있어서 머리가 없는 터반처럼 되었을 가능성도 있다.

요한이 쓴 글을 자세히 연구해 보면, 버려진 수의의 3가지 특징을 알 수 있다. 첫째, 수의가 "놓여 있었다." 이 말은 두 번 반복되는데(20:5-6), 첫 번 것은 헬라어 문장에서 강조하는 위치에 있다. 따라서 이렇게 번역할 수 있을 것이다. "그는 세마포를 보았는데, 그것은 놓여 있었다." 둘째, 머리를 쌌던 수건은 "세마포와 함께 놓이지 않고 딴 곳에 개켜 있었다"(7절). 수건은 뭉쳐져서 구석에 던져져 있지 않았다. 여전히 돌판 위에 있었다. 그러나 몸을 쌌던 천에서 어느 정도 떨어져 있었다. 셋째, 이 수건은 "놓이지 않고 개켜 있었다." 이 마지막 말은 "둘둘 감겨 있다"twirled라고 번역되어 왔다. 영어 성경 중 흠정역AV의 "wrapped together"와 개정 표준역RSV의 "rolled up"은 모두 적절하지 못한 번역이다. 이 표현은 속이 빈 머리 수건이 여전히 그대로 둥근 형태를 유지하고 있는 것을 적절하게 묘사한 것이다.

사도들이 무덤에 들어갔을 때 그들을 맞이했던 광경이 어떠했을지 어렵지 않게 상상이 된다. 돌판, 그 위에 놓인 수의와 속이 빈 머리 수건, 그리고 그 둘 사이의 간격! 그들이 "보고 믿은" 것은 지극히 당연하다. 이 수의를 한번 보는 것만으로도 부활의 진실성이 증명됐을 것이며, 그 성격을 알 수 있었을 것이다. 수의는 인간의 손에 의해 건드려지거나 접혀지거나 어떻게 되지 않았다. 그저 나방이 나와 버린 빈 번데기 껍질 같았다.

그것들이 부활에 대해 가식적으로 증명하는 증거물이 된다는 것은, 막달라 마리아(그녀는 베드로와 요한에게 이 소식을 전한 후 무덤으로 다시 왔다)가 "울면서 구푸려 무덤 속을 들여다보니 흰 옷 입은 두 천사가 예수의 시체 뉘었던 곳에 하나는 머리 편에, 하나는 발 편에 앉았더라"(요 20:11-12)고 요한이 설명한 사실에 의해 더욱 확실하게 된다. 아마 천사들은 수의를 사이에 두고 돌판 위에 앉았던 것 같다. 마태와 마가는 그 두 천사 중 하나가 "그가 여기 계시지 않고 그의 말씀하시던 대로 살아나셨느니라 와서 그의 누우셨던 곳을 보라"(마 28:6; 참조. 막 16:6)고 했다고 덧붙인다. 예수님이 누웠던 곳에 대한 이 말은 천사들의 위치와 말에 의해 강조되는데, 이것은 남아 있는 수의와 없어진 시체는 모두 그의 부활에 대한 일치된 증거이다.

부활하신 주님이 나타났다

복음서를 읽은 사람은 누구나, 복음서에 예수님이 부활 후에 제자들에게 나타난 방법에 대한 특이한 이야기가 있음을 알고 있다. 부활한 예수님은 10회에 걸쳐 소위 베드로가 말한 "택하신 증인"(행 10:41)들에게 나타났다.

즉, 막달라 마리아에게(요 20:11-18; 막 16:9), 무덤에서 돌아가는 여인들에게(마 28:9), 베드로에게(눅 24:34; 고전 15:5), 엠마오로 가는 두 제자에게(눅 24:13-35; 막 16:12-13), 다락방에 모인 열 사람에게(눅 24:36-42; 요 20:19-23), 도마를 포함하여 열한 제자에게(요 20:24-29; 막 16:14), 갈릴리의 산에서 "오백여 형제에게 일시에"(고전 15:6 ; 참조. 마 28:16-20), 야고보에게(고전 15:7), 갈릴리 호숫가에서 베드로, 도마, 나다나엘, 야고보, 요한 등 여러 제자들에게(요 21:1-23), 승천시 베다니에서 가까운 감람산 위에서 많은 사람들에게(눅 24:50-53; 행 1:6-12)였다.

바울은 다메섹 도상에서의 체험을 이야기하면서 부활한 예수님을 본 사람들의 명단 끝에 자신을 첨가한다. 누가는 사도행전 첫 부분에서 예수님이 "해 받으신 후에 또한 저희에게 확실한 많은 증거로 친히 사심을 나타내사 사십 일 동안 저희에게 보이시며"(행 1:3)라고 말한다. 따라서 기록이 남아 있지 않아서 그렇지 다른 곳에서도 나타나셨을 가능성이 있다.

그러므로 우리는 부활에 대한 생생한 증거인 이 부분을 간단히 넘겨 버릴 수가 없다. 이 이야기에서 어떤 설명을 찾아내야 한다. 이에 대한 설명으로는 단 세 가지만 가능한 것 같다. 첫째는 이것이 지어낸 것이라는 설명이고, 둘째는 환상이었다는 것이며, 셋째는 사실이라는 것이다.

이것이 지어낸 것이었을까? 이를 반박하는 데는 많은 지면이 필요하지 않다. 부활 출현 이야기가 교묘하게 꾸며진 것이 아니라는 것은 너무도 명백하다. 첫째는 그 이야기가 진지하고 꾸밈이 없기 때문이요, 둘째는 목격자의 자세한 묘사로 인해 생생하게 설명되고 있기 때문이다. 무덤으로 달려간 이야기와 엠마오로 가는 두 제자 이야기는 너무나 생생하고 실제적이어서 꾸며 냈을 리가 없다.

또한 아무도 그것을 훌륭하게 꾸며 낸 것이라고 할 수 없을 것이다. 만약 부활을 꾸며 내려고 했더라면 훨씬 더 훌륭하게 했을 것이다. 또 그랬을 경우, 4복음서에 나타나는 사건들의 복잡한 조각 그림 맞추기를 미리 피했어야 했다. 또 제자들의 의심과 두려움 같은 것은 아예 없애 버리거나 아니면 최소한 미화시키기라도 했어야 했다.

어쩌면 부활 자체에 대한 극적인 설명을 포함하여(환상적인 외경 복음들이 그러하듯이), 하나님의 아들이 사망의 사슬을 끊고 의기 양양하게 무덤을 차고 나온 능력과 영광을 묘사했어야 했을 것이다. 그러나 한 사람도 그것을 보지 못했고, 우리도 듣지 못했다.

그 외에도 "환각자의 열정이 부활한 신의 모습을 만들었다."고 한 르낭Renan의 조소를 피하기 위해서라도 막달라 마리아를 최초의 목격자로 택하지 않았을 것이다.

그러나 반론은 어설픈 이 이야기보다 지어냈다는 설에 대해 더 많이 제기된다. 이미 언급했듯이 사도들과 복음 전도자들, 그리고 초대 교회는 예수님의 부활을 철저하게 확신하고 있었다. 신약성경 전체에도 확실성과 정복의 분위기가 가득 차 있다. 성경 기자들이 비극적인 오류를 범했다고 주장한다면 그럴지도 모른다. 그러나 그들의 오류는 명백한 것일지언정 의도적인 것은 아니었다.

만일 부활 이야기가 지어낸 것이 아니라면 제자들이 본 것은 환상이었을까? 이 견해는 많은 사람들이 자신있게 피력하고 있다. 물론 환상은 희귀한 현상이 아니다. 환상이란 "실제로 그 곳에 있지 않은 어떤 외형적인 물체에 대한 지각"이다. 그리고 대부분 정신병자나 신경증 환자에게서 일어난다. 우리들 중 대부분은 상상 세계에 있는 어떤 물체를 보고 소리를 들으며 때때로 또는 늘 그 세계 속에 사는 사람들을 알고 있다. 그러나 제자들이 그런 비정상적인 사람들이었다고 말할 수는 없다. 혹시 막달라 마리아가 그랬을지는 모르지만, 거친 베드로나 의심 많은 도마가 그럴 가능성은 거의 없다.

환상은 지극히 평범하고 정상적인 사람들에게도 일어난다. 이 경우 보통 두 가지 특징이 있다. 첫째는, 지나치게 의도적인 사고를 계속해 절정에 이르면 환상이 일어난다는 것이다. 둘째는, 시간과 장소, 기분 등의 환경이 영향을 미친다는 것이다. 다시 말해 강한 내적 욕구와 외부 환경의 유도가 있어야 한다.

그러나 복음서의 부활 사건을 보면 이 두 요소가 하나도 없다. 의도적 사고의 흔적은커녕 그와 반대되는 모습이 역력하다.

여자들은 무덤이 비어 있는 것을 발견했을 때 "놀라 떨며……도망하고 무서워하였다"(막 16:8). 사도들은 막달라 마리아와 다른 여인들이 그가 살아났다고 알렸어도 "믿지 않았다"(막 16:11). 또 그들의 말은 사도들에게 "허탄한 듯이 보였다"(눅 24:11). 예수님이 친히 와서 그들 가운데 섰을 때도 그들은 "놀라고 무서워하여 그 보는 것을 영으로 생각했다"(눅 24:37). 그래서 예수님은 "저희의 믿음 없는 것과 마음이 완악한 것을" 꾸짖으셨다(막 16:14). 도마는 단호하게 그의 못 자국을 보고 만지지 않으면 믿지 않겠다고 거부했다(요 20:24-25). 후에 그리스도가 약속대로 갈릴리의 산 위에서 열한 제자와 다른 사람들을 만났을 때도 경배하는 자도 있었지만 일부는 의심하였다(마 28:17).

여기에는 의도적 사고도, 어리석은 믿음도, 맹목적인 수긍도 없었다. 제자들은 어리숙하게 믿지 않았다. 도리어 신중하고 회의적이었다. 그들은 "미련하고……마음에 더디 믿는 자들"(눅 24:25)이었던 것이다. 그 어떤 환상도 그들을 만족시키지 못했다. 그들의 믿음은 직접적인 경험이라는 분명하고 증명 가능한 사실에 근거하고 있었다.

뿐만 아니라 외적으로 유리한 환경도 역시 없었다. 만일 예수님이 나타나신 곳이 예수님에 대한 기억으로 신성시되어 제자들이 그런 기분을 가질 수 있는 특정한 장소였다면, 당연히 의심하게 될 것이다. 예수님이 다락방에만 나타나셨더라도 의심과 의문이 생길 수 있다. 만일 열한 제자들이 예수님이 지상에 있을 때 그들과 함께 얼마간 지내던 장소에 모여서, 예수님의 자리를 비워 놓고 감상에 젖은 채 지난날의 기이한 일들을 회상하고 다시 오시겠다던 약속을 기억하며, 참으로 그가 돌아오시지 않을까 기다리다가 드디어는 그들의 기대가 절정에 달하여 예수님이 갑자기 나타났다면, 그들이 비참한 착각에 현혹되었을지도 모른다는 걱정을 할 만하다.

그러나 사정은 그렇지 않았다. 실제로 예수님이 나타난 사건 10회를 연구해 봐도 각 사건의 장소, 사람, 분위기가 각기 다름을 알 수 있다. 개인적으로(막달라 마리아, 베드로, 야고보의 경우) 나타난 일이 있는가 하면, 몇 사람에게 또는 오천 명 이상에게 나타난 적도 있다. 그가 나타난 장소도 한두 성스러운 곳에 한정되기보다는 무덤의 동산, 예루살렘 근처, 다락방, 엠마오로 가는 길, 갈릴리의 산, 갈릴리 호숫가, 베다니 근처의 감람산 등 매우 다양하다.

사람과 장소 면에서 다양했다면 만난 사람들의 상태도 마찬가지였다. 막달라 마리아는 울고 있었고, 여자들은 두려워하고 놀랐으며, 베드로는 가책을 느끼고 있었고, 도마는 의심 중에 있었다. 엠마오로 가던 두 사람은 그 주간의 사건으로 마음이 산란해져 있었고, 갈릴리의 제자들은 고기를 잡고 있었다. 그러나 그들의 의심과 두려움, 불신과 선입관 등을 극복하고 주님은 자신을 그들에게 나타냈다.

이러한 거룩한 주님의 계시들을 인간의 환상이라고 일축해 버릴 수는 없는 노릇이다. 이처럼 환상도, 지어낸 이야기도 아니라면 가능성은 단 하나, 그 사건은 실제인 것이다. 부활한 주님이 나타나셨다.

제자들이 변화되었나

아마 예수님의 제자들의 변화는 부활에 대한 그 어떤 증거보다도 귀한 증거일 것이다. 전혀 꾸밈이 없기 때문이다. 그들은 그들이 보았던 빈 무덤과 놓여 있던 수의, 그리고 주님을 보라고 권하지만, 자신들을 보라고는 하지 않는다. 우리는 그들의 변화를 주목하라는 요청을 받지 않아도 그렇게 할 수 있다. 복음서에 나타나는 사람들과 사도행전에 나타나는 사람들은 전혀 다르다. 그리스도의 죽음으로 그들은 낙담과 환멸과 절망에 빠져 있었다. 그러나 사도행전에 나타나는 그들은 주 예수 그리스도의 이름을 위하여 자신의 생명을 아끼지 않았고, 천하를 어지럽게 했다(행 15:26, 17:6).

무엇이 이런 변화를 가져오게 했을까? 그들의 새로운 믿음과 능력, 기쁨과 사랑을 무엇으로 설명할 수 있을까? 말할 것도 없이 그 일부는 오순절 성령 강림이다. 그러나 성령의 강림은 예수님이 부활하여 승천한 후에야 비로소 이루어졌다. 이 능력으로 변화된 예 두 가지를 보자.

첫째는 시몬 베드로의 경우이다. 그리스도의 고난을 이야기하는 동안 베드로는 화면에서 슬그머니 사라진다. 그는 그리스도를 세 번이나 부인했다. 예수님의 매력을 전혀 체험하지 못한 것같이 저주하고 맹세했다. 그러고 나서 그 밤에 밖에 나가 심히 통곡하였다. 예수님이 죽음을 당하던 순간에는 다른 제자들과 함께 "유대인들을 두려워하여" (요 20:19) 문을 닫은 채 다락방에 있었다.

그러나 성경을 한두 장만 더 넘기면, 예루살렘의 바로 그 집 그 다락방 밖에 있는 돌계단 위에 서서 수많은 군중을 향해 담대하고 능력 있게 설교하는 그를 볼 수 있다. 그 설교로 3천 명이 그리스도를 영접하고 세례를 받았다. 뿐만 아니라 사도행전 바로 그 다음 장들에서는 예수님을 정죄하여 죽인 공회를 논박하고, 그리스도를 위해 능욕받는 일에 합당한 자로 여겨짐을 기뻐하는가 하면, 후에는 사형이 예상되는데도 그 전날 밤 감옥에서 편하게 잠을 자는 것을 보게 된다(행 2:14-41, 4:1-22, 5:41, 7:1-6).

시몬 베드로는 전혀 새로운 사람이었다. 바람에 날리는 모래는 다 날아가고, 별명에 걸맞게 진정한 반석이 된 것이다. 무엇이 이런 차이를 생기게 하였을까?

둘째로는 야고보를 예로 들어보자. 그는 후일 예루살렘 교회의 지도자가 되었다. 그는 "주의 형제들" 가운데 한 사람으로, 복음서에서는 예수님을 믿지 않은 것으로 나타나 있다. "그 형제들이라도 예수를 믿지 아니함이러라" (요 7:5). 그러나 사도행전 1장에서 누가가 모인 제자들의 명단을 나열한 것에 보면, "예수의 아우들"(14절)이라는 단어가 포함되어 있다. 이제 야고보는 확실히 신자가 되어 있는 것이다. 무엇이 이런 변화를 가져왔을까? 무엇이 그를 확신시켰을까? 그 답은, 사도 바울이 부활한 예수님을 본 사람들을 열거하면서 "그 후에 야고보에게 보이셨으며"라고 한 고린도전서 15:7에서 찾아볼 수 있을 것이다.

베드로의 두려움을 용기로, 야고보의 의심을 믿음으로 바꾸어 놓은 것은 바로 부활이었다. 또 안식일을 일요일로, 유대의 남은 자들을 그리스도의 교회로 바꾼 것도 부활이었다. 바리새인 사울을 사도 바울로, 그의 박해를 전도로 변화시킨 것도 역시 부활이었다. "맨 나중에……내게도 보이셨느니라"(고전 15:8).

이것들이 부활에 대한 증거이다. 시체가 사라지고 수의가 그대로 남아 있었다면, 그리스도인들의 위대한 증언 "주님은 진정 부활하셨다." 외에는 다른 설명이 있을 수 없다.

이제까지 우리는 3장에 걸쳐 시골뜨기 설교자로 시작하여 중죄인으로 죽은, 역사상 가장 매력적인 인물인 나사렛의 온유한 목수에 대해 철저한 연구를 해왔다.

그의 주장은 엄청난 것이었다.
그는 도덕적으로 완전했던 것으로 보인다.
그는 죽음을 이기고 부활했다.

갈수록 분명해지는 이 증거는 거의 확정적이다.

이제 남은 한 가지는 믿음의 단계이다. 그리스도 앞에 무릎을 꿇고, 의심하던 도마의 힘찬 고백 "나의 주시며 나의 하나님이시니이다"(요 20:28)를 나의 것으로 하는 것이다.

PART TWO | 인 간 의 상 태

5. 죄의 실상과 성격
6. 죄의 결과

5

죄의 실상과 성격

지금까지 상당한 지면을 할애해서 나사렛 예수의 독특한 신성에 대한 증거를 검토하였다. 이제는 그가 주님이시며 하나님의 아들이심을 확신하였을 것이다. 그러나 신약성경에는 그가 누구시냐에 대한 것뿐만 아니라 그가 하신 일도 설명되어 있다. 신약성경의 기자들은 예수님이 누구신가뿐만 아니라 어떤 일을 하셨는가에도 관심을 가졌던 것이다. 따라서 그는 단순히 천국에서 오신 주님으로만 제시된 것이 아니라 십자가에서 돌아가신 구세주로도 묘사되어 있다. 실제로 그가 하신 일의 효력은 그의 신성에 의해 좌우된다.

하지만 그가 이루신 일을 바로 알기 위해서는, 그가 누구신가는 물론 우리는 누구인가도 반드시 이해해야 한다. 그가 하신 일은 우리를 위한 것이었다. 그 일은 많은 사람을 위한 한 사람의 일이었다. 그 일은 곤경에 처한 사람들의 필요를 충족시킬 수 있는 유일한 인물에 의해 이루어졌다. 그의 능력은 그의 신성에서 나왔고, 우리의 필요는 죄 때문에 생겨난다.

그래서 그리스도에서 인간으로, 즉 그리스도 안의 죄 없음과 영광에서 우리 안의 죄와 수치로 화제를 바꾸게 된 것이다. 우리의 실제 모습을 정확하게 파악한 후에야 비로소 그리스도께서 우리를 위해서 하신 일과 우리에게 제공하고 계시는 것이 얼마나 놀라운 것인지를 알 수 있게 된다. 병을 정확하게 진단한 후에야 비로소 처방을 내릴 수 있는 것이다.

사실 죄는 사람들이 달가와 하지 않는 주제다. 그래서 그리스도인들은 지나치게 죄를 되뇌인다고 종종 비판을 당한다. 그러나 그리스도인들은 사실을 중시하기 때문에 그렇게 한다. 죄는 성직자들이 직업을 유지하기 위해 편의상 만들어 낸 것이 아니라 인간이 겪는 현실이다.

지난 몇 백년의 역사를 통해서 사람들은 악의 문제가 사회에만 있는 것이 아니라 인간에게도 있다는 것을 확실히 알게 되었다. 19세기에는 자유적 낙관주의가 번창했다. 그때는 대부분 인간의 본성은 근본적으로 선하며 악은 무지와 나쁜 환경 때문에 생기므로, 교육과 사회 개혁을 통해 행복하고 복된 삶을 살 수 있다고 믿었다. 그러나 이런 환상은 역사라는 엄연한 사실에 의해 산산조각이 났다. 서구 세계에서는 교육 기회가 급속히 증가되었고 복지국가가 만들어졌다. 그러나 세계 대전, 국제 분쟁, 정치적 탄압, 인종 차별, 폭력과 범죄 증가 등을 낳은 잔인함으로 인해 생각 있는 사람들은 인간의 마음속에 이기심이 있다는 것을 인정하지 않을 수 없었다.

소위 "문명화된" 나라에서 당연시되는 것들 중 대부분이 인간의 죄를 가정하고 있다는 것이다. 법이 생긴 것은 대부분 인간 사이의 분쟁을 이기심 없이 공평하게 해결할 수 없기 때문이다. 약속만으로는 부족하다. 계약서가 필요하다. 문만으로는 부족하다. 자물쇠로 잠그고 빗장을 지른다. 차 삯 지불로는 부족하다. 표를 발행하여 개표를 하고 검표를 하며 마지막에는 회수한다. 법과 질서로는 부족하다. 법을 강요하는 경찰이 필요하다. 이 모든 것이 인간의 죄 때문이다. 우리는 서로 신뢰할 수 없다. 서로를 대하여 방어해야 한다. 참으로 유감스러운 현실이다.

죄의 보편성

성경 기자들은 죄가 보편적이라고 단호하게 밝힌다. 솔로몬은 성전 봉헌식 기도에서 "범죄치 아니하는 사람이 없사오니"(왕상 8:46)라고 한다. 또 전도자는 전도서에서 "선을 행하고 죄를 범치 아니하는 의인은 세상에 아주 없느니라"(전 7:20)고 덧붙인다. 몇몇 시편은 인간 모두에게 죄가 퍼져 있음(보편적임)을 한탄한다. 하나님이 없다고 하는 자를 "어리석은 자"로 묘사하는 시편 14편은 인간의 사악함을 매우 비관적으로 기술하고 있다.

"저희는 부패하고 소행이 가증하여 선을 행하는 자가 없도다
여호와께서 하늘에서 인생을 굽어 살피사
지각이 있어 하나님을 찾는 자가 있는가 보려 하신즉
다 치우쳤으며 함께 더러운 자가 되고
선을 행하는 자가 없으니 하나도 없도다."1-3절

시편 기자는 양심을 통해 만일 하나님께서 일어나셔서 인간을 심판하신다면 한 사람도 그의 정죄를 면하지 못할 것을 깨달았다. "여호와여 주께서 죄악을 감찰하실진대 주여 누가 서리이까"(시 130:3). 그래서 그는 이렇게 기도한다. "주의 종에게 심판을 행치 마소서 주의 목전에는 의로운 인생이 하나도 없나이다"(시 143:2).

선지자들도 모든 인간이 죄인이라는 사실에 대해서는 시편 기자 만큼이나 집요하다. 이것에 대해서는 이사야서 후반부의 두 구절 만큼 분명한 것은 없다. "우리는 다 양 같아서 그릇 행하여 각기 제 길로 갔거늘……우리는 다 부정한 자 같아서 우리의 의는 다 더러운 옷 같으며"(사 53:6, 64:6).

이것은 구약성경 기자들의 근거 없는 생각이 아니다. 사도 바울은 로마서 처음 3장을 거의 할애해서 유대인이나 이방인이나 차별이 없이 모든 사람은 하나님 보시기에 죄인임을 주장한다. 그는 불신 세계의 타락한 도덕을 생생하게 기술한다. 그러면서, 유대인도 하나님의 거룩한 법을 가지고 사람들을 가르치지만, 그들 역시 그

것을 범하기 때문에 나은 것이 없다고 덧붙인다. 그러고 나서 시편과 이사야서를 인용해 자기 주장을 증명하고, "모든 사람이 죄를 범하였으매 하나님의 영광에 이르지 못하더니"(롬 3:23)라고 결론짓는다. 요한은 "만일 우리가 죄 없다 하면 스스로 속이고……만일 우리가 범죄하지 아니하였다 하면 하나님을 거짓말하는 자로 만드는 것이니"라고 말할 정도로 분명하였다(요일 1:8, 10).

그러나 무엇이 죄인가? 죄는 분명 보편적이다. 그렇다면 죄의 성격은 어떠한가? 성경에서는 죄를 설명하는 데 몇 가지 단어들을 사용한다. 이 단어들은 그릇된 행위가 적극적인 의미에서 다루어지느냐, 아니면 소극적인 의미에서 다루어지느냐에 따라 두 가지로 분류된다.

소극적 의미의 그릇된 행위는 결함이다. 한 마디로 표현해서 그것은 과실, 실수 또는 실책이다. 달리 설명하면 표적을 향해 활을 쏘았는데, 표적을 맞히지 못한 것이다. 또 다시 말하면, 죄는 선한 것에 미치지 못하는 내적 악함, 성벽(性癖)이다.

적극적인 의미의 죄는 위반이다. 한 마디로 경계를 넘어간 것이다. 다른 말로 하자면, 불법이다. 또 다른 말로 하면 정의를 어긴 행위이다.

이 두 부류의 말들은 어떤 도덕 기준이 존재함을 암시한다. 그 기준은 우리가 도달하지 못하는 어떤 이상이거나 아니면 우리가 깨뜨리는 법이다. "사람이 선을 행할 줄 알고도 행치 아니하면 죄니라"(약 4:17). 이것은 소극적인 측면의 죄이다. "죄를 짓는 자마다 불법을 행하나니 죄는 불법이라"(요일 3:4). 이것은 적극적인 측면이다.

사람들이 서로 다른 기준을 가지고 있다는 사실을 성경은 받아들인다. 유대인들은 모세의 율법을 기준으로 삼았다. 반면 이방인들은 양심의 법이 기준이었다. 그러나 기준과는 상관없이 모든 사람이 그 기준에 미치지 못하였다. 모든 사람이 자신의 법을 어긴 것이다. 우리의 윤리법은 어떤 것인가? 모세의 법일 수도 있고 예수님의 법일 수도 있다. 고상한 것일 수도 있고 적당한 것일 수도, 사회 관습일 수도 있다. 불교의 8정도일 수도, 회교의 5대 행동 조항일 수도 있다. 그 기준이 어떤 종류의 것이든 우리는 그것을 지키지 못하고 실패했다. 그래서 모두 양심의 가책을 받고 있다.

일부 선한 생활을 하는 사람들에게 있어서 이것은 참으로 놀라운 일이다. 그들은 자기 이상을 가지고 있고 어느 정도 그것을 달성하고 있다고 생각한다. 그들은 깊은 성찰을 하지 않는다. 자기 비판을 엄격하게 하지도 않는다. 그들은 자신이 때때로 실수를 한다는 것과 성격적 결함도 알고 있다. 그러나 그것 때문에 특별히 놀라지 않는다. 또한 자신이 다른 사람들보다 나쁜 사람이 아니라고 생각한다.

이런 모든 것들은 다음 두 가지를 기억하기 전까지는 충분히 이

해가 간다. 첫째, 실패 의식은 기준이 얼마나 높은가에 달려 있다. 높이뛰기에서 막대를 1미터 이상 높이지 않는 한 자기를 훌륭한 선수라고 생각하는 것은 아주 쉬운 일이다. 둘째, 하나님의 관심은 행위 뒤에 있는 생각, 즉 행동 뒤에 있는 동기에 있다. 예수님은 산상 설교에서 이것을 가르치셨다. 따라서 우리는 이것을 고려해야 한다. 이 두 가지 원리를 명심하고서, 출애굽기 20장에 나오는 십계명을 기준으로 삼아 모든 인간이 여기에서 얼마나 동떨어져 있는가를 살펴본다면 좋은 경험이 될 것이다.

십계명

1. "나 외에는 다른 신들을 네게 있게 말지니라"

이것은 오직 자신에게만 예배하라는 하나님의 요구이다. 해, 달, 별 등을 숭배하여 이 법을 어길 필요는 없다. 우리의 생각이나 사랑의 첫 자리에 하나님 대신 어떤 사물이나 사람을 둘 때 이 법은 깨뜨려진다. 그것은 우리가 열중하는 스포츠나 탐닉하고 있는 취미, 또는 이기적 야심일 수도 있다. 또 우상화하는 어떤 사람일 수도 있다. 우리는 안전한 투자와 넉넉한 예금액이라는 형태의 금은의 신을 숭배할 수도 있다. 또 재산이라는 형태의 나무와 돌의 신을 숭배하여 항상 보다 크고 좋은 집이나 자동차 등을 원할 수도 있다. 이런 것들은 모두 그 자체로는 나쁜 것이 아니다. 그러나 우리 삶에서 오직 하나님께만 합당한 위치를 그것들에게 내어 줄 때 잘못이 된다. 근본적으로 하나님을 희생하여 자기를 높이는 것이다. 어떤 사람이 한 영국인을 가리켜 "그는 자기를 창조한 자를 숭배하는 스스로 성공한 사람이다."라고 했는데, 이것은 누구에게나 해당되는 말이다.

예수님이 말씀하셨듯이, 이 첫 계명을 지키려면 마음을 다하고 목숨을 다하고 뜻을 다하여 주 우리 하나님을 사랑해야 한다(마 22:37). 모든 일을 하나님의 관점에서 보고, 하나님께 아뢰지 않고는 아무것도 하지 않아야 한다. 하나님의 뜻을 안내자로 삼고, 하나님의 영광을 목적으로 삼아야 한다. 생각과 말과 행동에서, 그리고 일할 때와 쉴 때, 친구 관계와 직업에서, 우리의 돈과 시간과 재능을 사용할 때, 직장에서와 집에서 항상 하나님을 첫 자리에 모셔야 한다. 나사렛 예수 외에 이 계명을 지킨 사람은 아무도 없다.

2. "너를 위하여 새긴 우상을 만들지 말고"

첫째 계명이 예배 대상에 관한 것이라면, 둘째 계명은 그 자세에 관한 것이다. 하나님께서는 첫째 계명에서 우리의 배타적인 예배를 요구하신 반면, 둘째 계명에서는 진실하고 신령한 예배를 요구하신다. "하나님은 영이시니 예배하는 자가 신령과 진정으로 예배할지니라"(요 4:24).

우리 손으로 그 끔찍한 금속 우상을 만든 적이 없을지도 모른다. 그러나 우리 마음속에 있는 우상은 얼마나 무서운 것인가? 더 나아가 이 계명은 예배에서 외적인 형식이 있을지라도, 그 안에 진실이 없으면 헛된 것임을 의미하고 있다. 우리는 교회에 다니고 있을 수도 있다. 그러나 늘 진정으로 하나님께 예배드렸는가? 기도도 했을 것이다. 그러나 늘 진정으로 기도했는가? 성경도 읽었을 것이다. 그러나 늘 하나님께서 성경을 통해 말씀하시게 하고 그분이 말씀하신 것을 행했는가? 우리 마음이 하나님으로부터 멀리 있다면 입술로 하나님께 나가봐야 아무 유익이 없다(사 29:13; 막 7:6). 이렇게 하는 것은 순전한 기만이다.

3. "너의 하나님 여호와의 이름을 망령되이 일컫지 말라"

하나님의 이름은 하나님의 속성을 나타낸다. 성경에는 하나님의 이름을 존중하라는 명령이 많다. 또 주기도문을 통해서 우리는 항상 주의 이름이 거룩히 여김을 받도록 기도한다. 주의 거룩한 이름은 우리의 무절제한 말 때문에 모독받을 수 있으며, 또 이따금씩 자신의 말을 번복하는 것 이상의 나쁜 일을 할 수 있다.

그러나 하나님의 이름을 망령되이 부르는 것은 단순한 말의 문제가 아니라 생각과 행위의 문제도 된다. 우리의 행위가 믿음과 모순되거나 우리의 실제가 설교와 상반되는 것은 하나님의 이름을 망령되이 부르는 것이다. 하나님을 "주님"이라고 부르면서도 순종하지 않는 것은 주의 이름을 망령되이 부르는 것이다. 하나님을 "아버지"라고 부르면서도 염려와 의심으로 가득 차 있는 것은 그분의 이름을 부인하는 것이다. 하나님의 이름을 망령되이 부르는 것은 말과 행동이 다른 것이나. 이것은 위선이다.

4. "안식일을 기억하여 거룩히 지키라"

유대인의 안식일과 그리스도인의 주일은 신성한 제도다. 7일 중에서 하루를 떼어놓는 것은 단순히 인간이 정해 놓은 것도, 사회적인 편의도 아니다. 그것은 하나님의 계획이다. 하나님께서 인간을 위해 안식일을 만드셨다고 예수님은 강조하셨다(막 2:27). 또한 안식일을 만드신 하나님께서 인간도 만드셨기 때문에 안식일이 인간의 필요에 맞게 하셨다. 인간의 몸과 마음은 휴식이 필요하다. 그리고 인간의 영은 예배를 필요로 한다. 따라서 안식일은 휴식의 날이며 동시에 예배의 날이다.

안식일을 이렇게 지키는 사람이 얼마나 적은가! 우리는 종종 이 날 자신이 일할 뿐 아니라 다른 사람에게도 불필요한 일을 맡겨서, 그들도 우리도 하나님을 예배하기 위한 기회가 필요하다는 것을 부인한다.

일요일은 하나님을 위해 따로 마련된 "거룩한" 날이다. 이 날은 주님의 날이지 우리의 날이 아니다. 따라서 우리의 방법이 아니라 주님의 방법대로, 우리의 이기적 쾌락이 아니라 하나님을 예배하고 섬기기 위해 이 날을 사용해야 한다.

5. "네 부모를 공경하라"

이 다섯째 계명은 부모에 대한 의무를 말한 것이지만, 하나님께 대한 의무를 담고 있는 첫 돌판에 기록되어 있다. 이것은 최소한 미성년기 동안은 부모가 하나님을 대신하는 위치에 있기 때문이다.

부모는 하나님의 권위를 대리한다. 그러나 젊은이들이 가장 이기적이고 무분별하게 되는 곳이 자기 집이기도 하다. 집에서의 행동은 바깥 세상에 드러나지 않는다. 그래서 자신의 참모습을 드러내게 된다. 또한 부모의 은혜를 감사하기는커녕 부모를 무시하여 마땅히 드려야 할 존경과 사랑을 드리지 않기가 너무도 쉽다. 우리는 부모에게 얼마나 자주 편지를 쓰고 또 찾아뵙는가? 또는 금전적으로 도와드릴 능력이 있는데도 거부하는 일은 없는가?

6. "살인하지 말지니라"

이 계명은 단순한 실제 살인에 대한 금지만은 아니다. 만약 눈초리로 죽일 수 있었다면 많은 사람들이 눈초리로 살인을 했을 것이다. 또 살인이 날카로운 말로 행해질 수 있었다면 많은 사람들이 살인자가 되었을 것이다. 예수님은 노하는 것과 욕하는 것이 살인과 같은 중죄라고 말씀하셨다(마 5:21-26). 또 사도 요한도 "형제를 미워하는 자마다 살인하는 자"(요일 3:15)라고 올바른 결론을 내리고 있다. 모든 분노, 감정 통제의 상실, 증오 등은 모두 살인이다. 또한 우리는 악의에 찬 험담으로 살인할 수도 있다. 또 의도적 무시와 잔인함으로 살인할 수도 있다. 심술과 질투로도 살인한다. 아마 우리는 다 이런 행위를 했을 것이다.

7. "간음하지 말지니라"

이 계명 역시 단순히 불성실한 결혼 생활 이상으로 폭넓게 적용된다. 혼전 성관계도 여기에 포함된다. 이밖에도 간음에는 우리가 구체적으로 언급하지 않고 얼버무리는, 엄격한 도덕을 벗어나 해이한 행위가 모두 포함된다. 즉, 약혼 기간 중의 허니문, 경박한 연애 놀음, "호기심"과 "경험"삼아 하는 연애 등이 다 포함된다. 또한 모든 종류의 자위행위와 성도착 행위도 포함된다. 그릇된 본능에 대한 책임이 사람에게 없다 하더라도 그것에 빠진 책임은 사람에게 있기 때문이다. 또 부부 사이의 이기적인 요구와 상당수의 이혼도 여기에 포함된다. 음란 서적을 읽는 것과 부정한 생각을 좋아하는 것도 포함된다. 예수님은 "여자를 보고 음욕을 품는 자마다 이미 간음하였느니라"(마 5:28) 고 말씀하심으로 이것을 분명히 지적하셨다.

마음속에 살인할 생각을 품는 것이 살인이듯, 음란한 생각을 품는 것 역시 간음이다. 실제로 이 계명에는 하나님께서 주신 신성하고 아름다운 선물의 품위를 떨어뜨리는 모든 행위가 포함된다.

8. "도둑질하지 말지니라"

도둑질이란 다른 사람의 것이나 다른 사람에게 가야 마땅한 것을 훔치는 것이다. 돈이나 물건을 훔치는 것만 이 계명의 금지 사항에 해당되는 것이 아니다. 탈세도 절도 행위다. 세관에서 수속을 밟지 않고 슬쩍 빠져 나가는 것도 마찬가지다. 근무 시간을 다 채우지 않는 것도 그렇다. 세상이 "주운 것은 내 것"이라고 하는 것을 하나님께서는 도둑질이라고 하신다. 세상이 "슬쩍한 것"이라고 하는 것을 하나님께서는 도둑질이라고 하신다. 직원을 혹사시키고 적은 임금을 주는 것도 이 계명을 어기는 것이다. 개인적인 일이나 사업에서 시종 일관 양심적인 사람은 극소수에 불과하다. 클로우Arthur Hugh Clough는 이렇게 썼다.

> "살인하지 말라"
> 그러나 살리려고 쓸데없이 애쓸 필요가 없다.
> "도둑질하지 말라"
> 그러나 속여서 돈을 더 많이 벌 수 있을 때는 실속 없는 교훈이다.

더구나 이 소극적인 명령들은 모두 이에 대응하는 적극적인 측면들을 가지고 있다. 진정으로 살인하지 않기 위해서는 자신의 능력을 다해 다른 사람의 건강을 증진시키고 생명을 보존하도록 해줘야 한다. 간음 행위를 하지 않는 것만으로는 부족하다. 서로 상대성(性)에 대해 바르고 건전하고 존경할 만한 태도를 가져야 한다. 도둑질을 안한다 해도 인색하고 아낄 줄만 안다면 그리 덕스런 일이 되지 못한다. 사도 바울은 도둑이 도둑질을 그만두는 것만으로 만족하지 않았다. 그 대신 일을 시작해야 하는 것이다. 그는 궁핍에 처한 사람들을 도와줄 수 있을 때까지 정직하게 일해야 한다(엡 4:28). 강도에서 자선가로 변해야 하는 것이다.

9. "네 이웃에 대하여 거짓 증거하지 말지니라"

후반 다섯 계명은 타인의 권리 존중, 즉 참사랑을 나타낸다. 이러한 계명들을 어기는 것은 사람에게서 가장 귀한 것들—생명("살인하지 말지니라"), 가정과 명예("간음하지 말지니라"), 재산("도둑질하지 말지니라"), 명성("네 이웃에 대하여 거짓 증거하지 말지니라")—을 강탈하는 것이다.

이 계명은 법정에서만 적용되는 것이 아니다. 여기에는 거짓말도 포함된다. 또한 모든 종류의 중상과 비방, 실없는 말과 수다, 거짓말과 진실의 교묘한 과장이나 왜곡 등이 포함된다. 우리는 좋지 않은 소문을 듣고 전함으로써, 남을 희생시키는 농담을 함으로써, 그릇된 인상을 줌으로써, 사실이 아닌 말을 정정하지 않음으로써, 또한 말과 침묵으로써 거짓 증거를 할 수 있다.

10. "탐내지 말지니라"

이 열 번째 계명은 어떤 면에서 모든 것을 다 내포하고 있다. 이 계명은 십계명을 외적인 법 수준에서 내적인 윤리 수준으로 올려놓는다. 민법은 도둑질이 아닌 한 탐심을 다룰 수 없다. 탐욕은 내적 생활에 속하기 때문이다. 탐심은 마음과 생각 속에 자리잡고 있는 것이다. 음욕과 간음, 분과 살인과의 관계는 탐심과 도둑질과의 관계와 같다.

우리가 탐내서는 안 된다고 이 계명에 언급되어 있는 구체적인 사례들은 놀랍게도 현대적이다. 오늘처럼 주택이 부족한 때에는 이웃의 집을 탐내는 일들이 많이 일어난다. 또한 사람들이 이웃의 아내를 탐내지 않는다면 이혼 법정이 그렇게 북적거리지는 않을 것이다. 사도 바울은 "탐심은 우상 숭배니라"(골 3:5)고 쓴 다음, 대조적으로 "지족하는 마음이 있으면 경건이 큰 이익이 되느니라"(딤전 6:6)고 기록하였다.

이러한 계명들을 설명함으로써 추한 여러 가지 죄들이 드러났으리라 본다. 이런 죄들은 우리 삶의 이면, 즉 생각이라는 은밀한 곳에서 수없이 일어나고 있다. 그러나 세상은 그것을 보지 못하고 있으며, 우리는 이것을 스스로에게까지 감추려고 애쓰고 있다. 그러나 하나님께서는 보고 계신다. 하나님의 눈은 우리 마음속 깊은 곳까지 꿰뚫어 보신다. "지으신 것이 하나라도 그 앞에 나타나지 않음이 없고 오직 만물이 우리를 상관하시는 자의 눈앞에 벌거벗은 것같이 드러나느니라"(히 4:13). 하나님께서는 우리의 실제 모습을 보고 계신다. 그래서 하나님의 법은 우리의 죄가 얼마나 많은가를 보여 준다. 실제로 율법의 목적은 죄를 드러내는 것이었다. "율법으로는 죄를 깨달음이니라"(롬 3:20).

후에 침례교 설교의 황제가 된 스펄전은, 열 살 때 시작된 죄의식이 열네 살이 되었을 때 홍수처럼 밀려와 그를 압도해 버렸다. 그때 "하나님의 위엄과 나의 추악함"이라는 두 가지 생각이 그를 공포와 참회로 가득 차게 했다. 그는 자신의 무가치함에 좌절감을 느꼈다.

> 나는 나의 삶을 누가 살펴보아도 특별한 죄를 찾지 못할 것이라고 서슴없이 말할 수 있습니다. 그런데도 내가 나 자신을 살펴볼

때는 하나님께 엄청난 죄를 범했음을 보았습니다. 나는 불성실하고 부정직하고 욕하는 다른 소년들과 같지 않았습니다. 그러나 어느 순간 율법, 즉 십계명을 가지고 온 모세를 만났습니다. 내가 그것들을 읽는 동안 그것들은 모두 함께 지극히 거룩하신 하나님 앞에서 나를 정죄하는 것같이 보였습니다.

우리에게도 마찬가지로, 높고 의로운 하나님의 율법만큼 우리의 죄 많음을 깨닫게 해주는 것은 없다.

6
죄의 결과

지금까지 우리는 인간의 죄의 보편성과 성격을 살펴보았다. 이제는 이 달갑지 않은 죄 문제를 그만두고 즉시 그리스도의 구원이라는 좋은 소식으로 넘어가고 싶지만, 아직 그렇게 할 준비가 안 되어 있다. 하나님께서 우리를 위해 하신 일과 그리스도 안에서 우리에게 제공되고 있는 것을 생각하기 전에, 먼저 죄의 또 다른 측면을 반드시 검토해야 하는 것이다.

실제로 죄란 그렇게 심각한 것인가? 죄의 주된 결과는 어떤 것일까? 죄로 인한 결과를 가장 잘 살펴볼 수 있는 길은 하나님과 우리 자신, 그리고 우리 이웃 사람들에게 미치는 죄의 영향을 살펴보는 것이다.

하나님으로부터의 단절

아마 죄의 결과 중 가장 무서운 것은 하나님으로부터 끊어지는 것일 것이다. 인간의 최고의 복은 하나님을 알고 하나님과 개인적 관계를 갖는 것이다. 인간 존재의 고귀함에 대한 주된 주장은, 그가 하나님의 형상대로 지음을 받았고 따라서 하나님을 알 수 있다는 것이다. 그러나 우리가 알도록 되어 있고 또 마땅히 알아야 하는 하나님은 의로운 분이시다. 하나님은 모든 면에서 도덕적으로 완전하시다. 그분은 거룩하신 하나님이시다. 성경은 이 진리를 매우 강조한다.

"지존 무상하며 영원히 거하며 거룩하다 이름하는 자가 이같이 말씀하시되 내가 높고 거룩한 곳에 거하며."사 57:15

"만왕의 왕이시며 만주의 주시요……가까이 가지 못할 빛에 거하시고."딤전 6:15-16

"하나님은 빛이시라 그에게는 어두움이 조금도 없으시니라 만일 우리가 하나님과 사귐이 있다 하고 어두운 가운데 행하면 거짓말을 하고 진리를 행치 아니함이거니와."요일 1:5-6

"하나님은 소멸하는 불이심이니라".히 12:29; 참조. 신 4:24

"우리 중에 누가 삼키는 불과 함께 거하겠으며 우리 중에 누가 영영히 타는 것과 함께 거하리요."사 33:14

"주께서는 눈이 정결하시므로 악을 참아 보지 못하시며 패역을 참아 보지 못하시거늘." 합 1:13

하나님의 영광을 본 성경의 인물들은 모두 자신의 죄를 생각하고 두려워 움츠러들었다. 모세는 불이 붙었으나 타지 아니하는 떨기나무 가운데 하나님께서 나타나셨을 때, "하나님 뵈옵기를 두려워하여 얼굴을 가렸다"(출 3:6).

욥은 여호와께서 "폭풍 가운데서" 무한하신 위엄을 나타내는 말씀으로 이야기하셨을 때 소리쳤나. "내가 주께 대하여 귀로 듣기만 하였삽더니 이제는 눈으로 주를 뵈옵나이다 그러므로 내가 스스로 한하고 티끌과 재 가운데서 회개하나이다"(욥 42:5-6).

이사야는 젊어서 이스라엘의 왕이신 하나님의 환상을 보았는데, "주께서는 높이 들린 보좌에 앉으셨고" 천사들은 모여 서서 하나님의 거룩하심과 영광을 노래하고 있었다. 그래서 그는 말했다. "화로다 나여 망하게 되었도다 나는 입술이 부정한 사람이요 입술이 부정한 백성 중에 거하면서 만군의 여호와이신 왕을 뵈었음이로다"(사 6:5).

에스겔은 이상한 환상을 보았는데, 날개 달린 생물들과 구르는 바퀴, 그리고 그 위에는 한 보좌가 있었고 그 보좌에는 인자 같은 한 분이 불과 무지개의 광채에 둘러싸인 채 앉아 있었다. 그는 이것이 "여호와의 영광의 형상의 모양"임을 알고 "내가 보고 곧 엎드리어 그 말씀하시는 자의 음성을 들었다"고 덧붙였다(겔 1:28).

다소의 사울은 그리스도인들에 대하여 살기가 등등하여 다메섹으로 가던 도중 하늘에서 비친 정오의 햇빛보다 밝은 강한 빛에 의해 땅에 엎드러졌고 시력을 잃었다(행 9:1-9). 그후 그는 자신이 본 부활하신 그리스도에 대해 "그가 내게도 보이셨다"(고전 15:8)고 기록하였다.

밧모 섬에 유배 중이던 나이 많은 요한은 부활하셔서 영광을 입으신 예수님에 대한 그의 환상을 자세히 묘사하여 "그의 눈은 불꽃 같고" "그 얼굴은 해가 힘있게 비취는 것 같더라"고 한 다음, "내가 볼 때에 그 발 앞에 엎드러져 죽은 자같이 되었다"고 했다(계 1:9-17).

만일 말로 형용할 수 없는 하나님의 위엄을 가린 커튼이 일순간에 걷힌다면, 우리도 역시 견뎌 내지 못할 것이다. 사실 우리는 전능하신 하나님의 영광이 얼마나 정결하고 찬란한지를 어렴풋이 알고 있을 뿐이다. 그러나 아직도 죄 가운데 있는 인간은 결코 이 거룩하신 하나님께 가까이 갈 수 없음을 깨닫는 데는 충분하다. 의로우신 하나님과 죄지은 인간 사이에는 엄청난 간격이 있는 것이다. "의와 불법이 어찌 함께하며 빛과 어두움이 어찌 사귀겠느냐"(고후 6:14)고 바울은 묻는다.

죄가 우리를 하나님으로부터 단절시킨다는 것은 성막과 성전의 구조에서 설명되고 있다. 성막과 성전 둘 다 두 칸으로 구분되어 있다. 큰 것은 성소라고 하며, 작은 것은 지성소라고 불린다. 지성소에는 하나님의 임재를 가시적으로 상징하는 여호와의 광채 the Shekinah glory가 있다. 성소와 지성소 사이에는 두꺼운 "휘장"이 있는

데, 이것은 지성소에 들어가지 못하도록 막는 것이다. 하나님께서 계시는 지성소에는 아무도 들어갈 수 없고 대제사장만 들어갈 수 있다. 그것도 일 년에 단 하루, 속죄일에 죄를 위한 희생의 피를 가지고 들어갈 수 있을 뿐이다.

신구약 기자들은 이처럼 이스라엘 백성들에게 가시적으로 설명된 것을 가르쳤다. 죄는 필연적으로 분리를 가져오는데 이 분리란 "사망" 즉 영적 사망이요, 유일한 생명의 근원인 하나님으로부터의 단절을 의미한다. "죄의 삯은 사망이다"(롬 6:23).

더 나아가 영생을 얻을 수 있는 유일한 통로인 예수 그리스도를 이 세상에서 배척하면 다가오는 세상에서는 영원히 죽게 된다. 지옥은 실제로 존재하는 냉혹하고 무서운 곳이다. 속지 말라. 예수님이 친히 지옥에 대해 말씀하셨다. 주님은 지옥을 "바깥 어두운 데"(예, 마 25:30)라고 부르셨는데, 지옥이 빛이신 하나님으로부터 한없이 떨어져 있기 때문이다. 또한 성경에서는 지옥을 "둘째 사망"과 "불못"이라고도 부르는데, 이 말들은 영원한 생명을 잃어 버리는 것과 하나님 존전에서 다시 회복할 수 없도록 추방당한 영혼의 무서운 갈증을 설명한다(예, 계 20:14-15; 눅 16:19-31).

죄로 인하여 생긴 이 하나님으로부터의 분리는 성경에서만 가르치는 것이 아니다. 인간의 체험을 통해서도 확인된다. 나는 소년시절 하나님 앞에 나아가려고 기도하고 애쓸 때 겪었던 당혹스러움을 지금도 기억하고 있다. 하나님께서 왜 안개 속에 숨어 계시는 것같이 보이는지 이해할 수 없었고, 하나님 가까이 갈 수도 없었다.

하나님께서는 저 멀리 아득한 곳에 계시는 것 같았다. 지금은 그 이유를 안다. 이사야가 그 답을 보여 주었다.

"여호와의 손이 짧아 구원치 못하심도 아니요
귀가 둔하여 듣지 못하심도 아니라
오직 너희 죄악이 너희와 너희 하나님 사이를 내었고
너희 죄가 그 얼굴을 가리워서 너희를 듣지 않으시게 함이니." 사 59:1-2

우리는 예레미야 애가 3:44처럼 하나님께 하소연하고 싶은 충동을 받는다. "주께서 구름으로 스스로 가리우사 기도로 상달치 못하게 하시고." 그러나 사실 구름에 대한 책임은 하나님께 있지 않다. 책임은 우리에게 있는 것이다. 우리의 죄가 구름이 해를 가리듯 우리에게서 하나님의 얼굴을 가린다.

많은 사람들이 그런 비참한 경험을 했다고 털어놓았다. 때때로 위기를 당했을 때나 위험에 처했을 때, 기쁠 때나 아름다운 것을 묵상할 때는 하나님께서 가까이 계시는 것 같지만, 대부분의 경우 뭐라고 표현할 수 없는 하나님으로부터의 격리감과 버림당한 느낌을 갖는다. 그런데 이것은 느낌에서만 그런 것이 아니라 실제로 그렇다. 우리는 죄 씻음을 받기까지는 쫓겨난 자이다. 하나님과 교제할 수 없다. 우리는 우리의 "허물과 죄로 죽은 자"(엡 2:1)이다.

현대인의 불안의 원인이 바로 여기에 있다. 인간의 마음속에는 하나님이 아니고는 그 무엇으로도 채울 수 없는 굶주림이 있다. 오직 하나님만이 채우실 수 있는 공간이다. 신문에서 자극적인 뉴스를 요구하고 영화에서 도가 지나친 사랑이나 범죄 이야기를 소재로 삼는 것, 수영장과 술집들, 자동차 경주와 오토바이 경주, 마약과 성과 폭력의 난무-이 모든 것들은 인간이 만족을 찾고 있다는 증거이다. 그것들은 하나님을 향한 인간의 갈급함과 하나님과 인간의 분리라는 문제를 해결할 수 없다. 어거스틴은 그의 참회록 시작 부분에서 이를 잘 표현하고 있다.

"주께서는 우리를 주님을 위해 지으셨습니다. 그래서 우리 마음은 주님 안에서 쉼을 얻을 때까지 쉴 수 없습니다."

쉼이 없는 이런 상태는 말로 형용할 수 없이 비참하다. 인간은 하나님께서 자신들을 만드신 뜻을 잊고 있다.

자기에의 속박

죄는 분리시킬 뿐만 아니라 노예가 되게 한다. 죄는 우리를 하나님으로부터 단절시킬 뿐만 아니라 포로가 되게 한다.

이제는 죄의 내적 속성을 고찰해 보기로 하자. 죄는 단순히 잘못된 외적 행동이나 습관이 아니다. 깊은 곳에 자리잡고 있는 내적 부패이다. 우리가 범하는 범죄는 이 내적이고, 보이지 않는 병이 외적으로 보이는 증상일 뿐이다. 예수님은, 열매의 속성은 나무의 속성에 의해 결정되듯이 우리의 행동은 우리 마음에 의해 결정된다고 설명하셨다. 마음에 가득한 것을 입으로 말하는 것이다(마 12:33-35).

이 점에 있어서 예수 그리스도는 많은 현대 개혁자나 혁명가들과 다르다. 물론 우리가 교육과 환경, 또는 정치 · 경제적 체제에 의해 선악간에 영향을 받는 것은 분명하다. 또한 만인의 정의, 자유, 행복을 추구해야 하는 것도 분명하다. 그러나 예수님은 인간 사회의 죄악의 원인을 이런 추구의 결여로 돌리지 않고 인간의 본성-그는 이를 "마음"이라 한다-으로 돌렸다.

"속에서 곧 사람의 마음에서 나오는 것은 악한 생각 곧 음란과 도적질과 살인과 간음과 탐욕과 악독과 속임과 음탕과……이 모든 악한 것이 다 속에서 나와서 사람을 더럽게 하느니라."막 7:21-23

구약도 벌써 이 진리를 가르치고 있다. 예레미야는 이것을 이렇게 기록했다. "만물보다 거짓되고 심히 부패한 것은 마음이라 누가 능히 이를 알리요마는"(렘 17:9).

성경에는 이처럼 인간성이 오염되었다는 언급이 가득하다. 이것이 소위 말하는 "원죄"이다. 이것은 자기 중심으로 향하는 성향 또는 경향으로 우리가 계속 물려받는 것이며, 우리의 인간성 속에 깊이 뿌리박고 있다가 갖가지 추악한 방법으로 나타난다. 바울은 이것을 "육체"로 부르면서 그것이 하는 일 또는 그것으로 일어나는 결과들을 열거한다.

"육체의 일은 현저하니 곧 음행과 더러운 것과 호색과 우상 숭배와 술

수와 원수를 맺는 것과 분쟁과 시기와 분냄과 당짓는 것과 분리함과 이단과 투기와 술 취함과 방탕함과 또 그와 같은 것들이라."갈 5:19-21

우리가 속박되어 있는 것은 죄가 인간성의 내적 타락이기 때문이다. 또한 우리를 노예로 만드는 것은 어떤 행동이나 습관이 아니고 이런 행동이나 습관이 나오는 근원인 악의 오염이다. 신약성경에서는 여러 차례에 걸쳐 인간을 "종"으로 묘사하고 있다. 그것은 우리가 싫어하는 명칭이지만 유감스럽게도 틀림이 없는 명칭이다.

예수님이 바리새인들에게 "너희가 내 말에 거하면 참 내 제자가 되고 진리를 알지니 진리가 너희를 자유케 하리라"(요 8:31-32)고 말씀하셨을 때 그들은 분개하였다.

그들은 반박하였다. "우리가 아브라함의 자손이라 남의 종이 된 적이 없거늘 어찌하여 우리가 자유케 되리라 하느냐"(33절).

예수님은 이렇게 대답하셨다. "진실로 진실로 너희에게 이르노니 죄를 범하는 자마다 죄의 종이라"(34절).

바울은 그의 서신서에서 수차례에 걸쳐 죄로 인해 우리가 빠지게 되는 치욕적인 노예 상태를 생생하게 설명한다.

"너희가 본래 죄의 종이더니."롬 6:17

"전에는 우리도 다 그 가운데서 우리 육체의 욕심을 따라 지내며 육체와 마음의 원하는 것을 하여."엡 2:3

"우리도 전에는 어리석은 자요 순종치 아니한 자요 속은 자요 각색 정욕과 행락에 종 노릇한 자요."딛 3:3

우리가 자신을 통제할 수 없는 상태에 대해 야고보는 혀를 다스리기가 어려움을 예로 들고 있다. 생생한 비유가 가득차기로 유명한 야고보서 3장에서 그는 "만일 말에 실수가 없는 자면 곧 온전한 사람이라 능히 온몸도 굴레 씌우리라"고 말한다. 그는 혀를 "작은 지체로되 큰 것을 자랑하도다"라고 지적한다. 혀의 영향은 불같이 퍼진다. 혀는 "쉬지 아니하는 악이요, 죽이는 독이 가득한 것"이다. 우리는 어떠한 종류의 짐승과 새라도 길들일 수 있다. 그러나 "혀는 능히 길들일 사람이 없다"(약 3:1-12).

우리는 이것을 너무도 잘 알고 있다. 우리의 이상은 높지만 의지는 약하다. 선한 삶을 살기 원하지만 자기 중심이라는 사슬에 묶여 갇혀 있다. 우리가 아무리 자유롭다고 떠벌려도 실제로는 종이다. 따라서 눈물을 흘리며 하나님께로 나아가 고해야 한다.

주여,
이루어진 것이 없습니다.
성취한 것이 전혀 없습니다.
내 인생의 싸움에서
진정 승리한 일이 없습니다.
이제 주께 아뢰러 왔습니다.

한없이 싸워도 패배뿐인
나의 인간적인
너무나 인간적인
연약하고 무익한 자의 이야기를.[1]

우리에게는 행동 규칙이 있어도 소용이 없다. 지킬 수 없기 때문이다. 하나님께서 끊임없이 "너희는……하지 말라."고 하셔도 우리는 죽는 날까지 할 것이다. 우리에게는 강의가 필요없다. 구주가 필요하다. 마음의 변화가 없는 지식 교육만으로는 충분하지 않다. 인간이 필요로 하는 것은 충고가 아니라 힘이다. 인간은 물리적 힘의 비밀을 찾아냈다. 원자 물리학 영역에서의 발견은 전세계를 놀라게 하고 있다. 그러나 이제 인간에게 필요한 것은 영적인 힘, 자신을 스스로로부터 해방시킬 수 있는 힘, 자기를 극복하고 통제할 수 있는 힘, 인간의 과학적 업적에 걸맞는 도덕적 인격을 줄 수 있는 힘이다.

다른 사람들과의 갈등

죄의 무서운 결과에 관한 이야기는 아직도 끝나지 않았다. 이번에는 다른 사람들과의 관계에 미치는 영향 한 가지를 더 살펴보기로 하자.

---

1. Studdert Kennedy.

하나님이 정하신 사랑의 순서는

첫째, 하나님 / 둘째, 이웃 / 마지막, 나이다.

죄는 이 순서를 바꾸는 것이다.

우리는 죄란 깊은 곳에 자리잡고 있는 본성의 오염임을 살펴보았다. 이 죄는 인간성에 뿌리깊이 내재한다. 죄는 자아를 통제한다. 그래서 실제로 죄가 곧 자신이다. 따라서 우리의 모든 죄는 하나님이나 사람에 대한 자기 주장이다. 십계명은 소극적인 일련의 금지령이지만, 하나님과 다른 사람들에 대한 우리의 의무를 규정한다. 이것은 레위기 19:18과 신명기 6:5을 결합하여 예수님이 제시하신 율법에 대한 적극적인 요약에서 더욱더 분명하게 드러난다.

"네 마음을 다하고 목숨을 다하고 뜻을 다하여 주 너의 하나님을 사랑하라 하셨으니 이것이 크고 첫째 되는 계명이요 둘째는 그와 같으니 네 이웃을 네 몸과 같이 사랑하라 하셨으니 이 두 계명이 온 율법과 선지자의 강령이니라"(마 22:37-40).

첫째 계명은 이웃에 대한 우리의 임무가 아니라 하나님께 대한 우리의 의무와 관계된 것임을 주목하라. 우리는 하나님을 먼저 사랑해야 한다. 그 다음 이웃을 자신처럼 사랑해야 한다. 따라서 하나님께서 정하신 순서는 하나님 먼저, 이웃이 둘째, 나는 마지막이다.

죄는 이 순서를 바꾸는 것이다. 우리는 자신을 첫째에 두고, 이웃을 둘째에, 그리고 하나님은 뒤 구석 어디에 둔다. 귀중한 나에게*Dear Me*라는 자서전을 쓴 턴불 A. S. Turnbull이라는 사람은 우리 모두가 스스로를 생각하는 것에 대해 잘 표현하고 있다. 어린이 파티에 아이스크림이 나왔을 때 터져 나오는 소리는 한결같이 "나 먼저!"이다. 우리는 성장하면서 그런 말을 하지 않아야 함을 배우게 된다. 그러나 마음속에서는 여전히 그렇게 한다. 원죄에 대한 템플 대주교의 정의는 이 사실을 완벽하게 설명해 준다.

> 나는 내가 보는 세계의 중심이다. 시야는 내가 서 있는 위치에 의해 결정된다. ……교육은 나의 관심의 시야를 넓혀 줌으로써 나의 자아 중심성을 보다 덜 비극적으로 만들어 줄 수 있다. 여기까지는 탑을 오르는 것 같아서 오를수록 물리적인 시야는 넓어지지만, 여전히 나는 그 중심이요 판단의 기준으로 남아있다.[2]

이 근본적인 자기 중심성은 모든 행위에 영향을 미친다. 우리는 좀체로 자신을 다른 사람들을 중심으로 적응시키지 못한다. 우리는 다른 사람들을 무시하거나 시기한다. 또 우월감을 갖거나 열등감을 갖는다. 바울이 말한 소위 "지혜로운 생각"(롬 12:3)을 거의

---

2. *Christianity and Social Order*, 1942; SCM Press edition, 1950, pp. 36–37.

하지 못한다. 때로는 자기 연민으로 가득하다가 때로는 자기 존경, 자기 사랑, 자기 의지로 충만하기도 한다.

삶의 모든 관계–부모와 자녀, 남편과 아내, 고용주와 피고용자 등–는 복잡하기 그지없다. 청소년 범죄에는 물론 많은 원인이 있는데, 그중 상당수가 가정의 불안정 때문이다. 그러나 분명한 것은 (그 원인이 어떠하든) 비행 청소년들이 반사회적으로 자기를 주장하고 있다는 것이다. 만일 사람들이 겸손하여 상대방보다 자신을 책망하였다면 수많은 이혼이 예방되었을 것이다. 부부가 결혼 생활에 문제가 생겨 나를 찾아올 때마다, 둘의 이야기가 너무나 달라서, 상황을 잘 알지 못하는 사람은 그 부부가 동일한 상황을 설명하고 있다는 것조차 짐작할 수 없을 정도인 경우도 있다.

대부분의 싸움은 오해에서 비롯된다. 그 오해는 상대방의 관점을 옳게 이해하지 못하는 데서 오며, 듣기보다는 말하기가, 순순히 따르기보다는 주장하기가 더 쉽다. 이것은 가정 불화에서나 사업상의 논쟁에서나 마찬가지이다. 만일 노사 양편이 항상 자신에 대해서는 관대하고 상대편에 대해서는 비판적인 대신, 먼저 자신을 비판적으로 살피고 다음에 상대편을 관대하게 살핀다면 대부분의 노사 문제는 해결될 것이다. 이와 동일한 원리가 복잡한 국제 문제에도 적용될 수 있다. 오늘날의 긴장은 대부분 두려움과 어리석음에서 기인한다. 우리의 시야는 일방적이다. 그래서 자신의 미덕과 남의 악을 과장한다.

이렇게 오늘날의 사회관계를 책망하는 글을 쓰기는 쉽다. 이렇게 하는 단 한 가지 이유는 인간의 죄 내지는 자기 중심성이 어떻게 해서 모든 문제의 원인이 되는가를 설명하기 위해서이다. 이 죄는 우리를 서로 부딪히게 만든다. 만약 자기 주장 자세가 자기 희생 자세로 바뀔 수만 있다면, 갈등(부딪힘)은 끝이 날 것이다. 이 자기 희생을 성경에서는 "사랑"이라고 부른다. 죄는 소유하려고 하는 네 반해 사랑은 나누어 주려고 한다. 죄의 특징은 소유하려는 욕구요, 사랑의 특징은 나누어 주려는 욕구인 것이다.

사랑은 언제나 준다.
용서하고 견디어 낸다.
언제나 손을 펴고 있다.
사랑은 살아있는 한 준다.
주고 주고 또 주는 것,
이것이 사랑의 특권이다.

인간에게 필요한 것은 본성의 근본적 변화이다. 이것을 괏킨H. M. Gwatkin 교수는 "자아에서 비 자아로의 변화"라고 불렀다. 인간 스스로는 이것을 이룰 수 없다. 자기 자신을 스스로가 수술할 수는 없는 것이다. 그래서 구주가 필요하다.

이렇게 우리의 죄를 폭로한 것은 단 한 가지 목적 때문이다. 즉, 우리에게 예수 그리스도가 필요하다는 사실을 이해시켜, 그리스도께서 주시는 것을 이해하고 받아들일 수 있게 준비시키려는 것이다. 믿음은 필요에서 생긴다. 그리스도가 필요하다고 느끼지 않는 한 결코 영접하지 않을 것이다. 그리스도께서도 말씀하셨다. "건강한 자에게는 의원이 쓸데없고 병든 자에게라야 쓸 데 있느니라 내가 의인을 부르러 온 것이 아니요 죄인을 부르러 왔노라"(막 2:17). 자신의 병의 중함을 깨닫고 인정할 때에야 비로소 우리는 치료가 절실하게 필요함을 인정하게 될 것이다.

PART THREE | 그리스도께서 하신 일

7
그 리 스 도 의 죽 음

기독교는 구원의 종교다. 기독교는, 우리를 죄에서 구원하기 위해 하나님께서 예수 그리스도를 통해 먼저 어떤 일을 행하셨다고 선포한다. 다음은 성경의 주요 주제이다.

"아들을 낳으리니 이름을 예수라 하라 이는 그가 자기 백성을 저희 죄에서 구원할 자이심이라." 마 1:21

"인자의 온 것은 잃어 버린 자를 찾아 구원하려 함이니라." 눅 19:10

"미쁘다 모든 사람이 받을 만한 이 말이여 그리스도 예수께서 죄인을 구원하시려고 세상에 임하셨다 하였도다." 딤전 1:15

"아버지가 아들을 세상의 구주로 보내신 것을 우리가 보았고 또 증거하노니." 요일 4:14

앞에서 보았듯이, 죄에는 세 가지 중요한 결과가 있으므로 "구원"에는 이것들 모두로부터 해방시키는 것이 포함된다. 구주 예수 그리스도를 통해서 우리는 쫓겨난 데서 다시 하나님 아버지께로 나아와 그분과 화목할 수 있다. 또한 거듭나는 새 성품을 받아 도덕의 굴레에서 해방될 수 있으며, 오래된 불화를 사랑의 교제로 바꿀 수 있다.

그리스도께서 구원을 가능하게 하신 방법은 첫째는 자신의 죽음이요, 둘째는 성령을 주심이요, 셋째는 그의 교회를 세우심이다. 이 중 첫째는 이 장에서 고찰할 것이고, 둘째와 셋째는 다음 장에서 살펴볼 것이다.

바울은 그의 일을 "화목하게 하는 직책"으로, 그의 복음을 "화목하게 하는 말씀"으로 묘사했다(고후 5:18-19). 또한 이 화목이 어디에서 오는 것인가를 분명히 밝히고 있다. 그는 화목의 주인은 하나님이시고 화목의 실행자는 그리스도시라고 말한다. "모든 것이 하나님께로 났나니 저가 그리스도로 말미암아 우리를 자기와 화목하게 하시고"(18절). "이는 하나님께서 그리스도 안에 계시사 세상을 자기와 화목하게 하시며"(19절).

십자가 위에서 죽으신 예수님의 몸을 통해 이루어진 것은 원래 영원하신 하나님의 마음과 뜻 가운데 있던 것이었다. 그리스도의 죽음이나 인간의 구원에 대한 어떠한 설명도, 만일 이 사실을 바르게 다루지 못한다면 성경의 가르침에 충실한 것이라고 할 수 없다.

"하나님이 세상을 이처럼 사랑하사 독생자를 주셨으니 이는 저를 믿는 자마다 멸망치 않고 영생을 얻게 하려 하심이니라"(요 3:16).

"아버지께서는 모든 충만으로 예수 안에 거하게 하시고 그의 십자가의 피로 화평을 이루사 만물 곧 땅에 있는 것들이나 하늘에 있는 것들을 그로 말미암아 자기와 화목케 되기를 기뻐하심이라"(골 1:19-20).

그러면 "화목"reconciliation이라는 말의 의미는 무엇일까? 로마서 5:11에서 영어 흠정역 성경이 "화해",atonement 또는 조정, 속죄라고 번역한 것이 바로 이 "화목"이라는 단어다. 영어의 "화해"라는 말은 서로 반목하고 있는 두 편이 "하나로" 되는 행위, 또는 그 하나 됨이 표현되고 향유되는 상태를 의미한다. 우리는 이 "화해"를 우리 주님이요 구주이신 예수 그리스도를 통해 "얻었다"고 바울은 말한다. 우리의 노력으로 얻은 것이 아니다. 주님으로부터 값없이 선물로 받은 것이다.

죄는 분리를 낳았지만 십자가는 화평을 낳았다. 죄는 하나님과 인간 사이에 큰 간격을 만들었지만 십자가는 그것을 연결하는 다리를 놓았다. 죄는 교제 관계를 깨뜨렸지만 십자가는 그것을 회복시켰다. 바울은 로마서에서 이 진리를 다른 말로 표현한다. "죄의 삯은 사망이요 하나님의 은사(선물)는 그리스도 예수 우리

주 안에 있는 영생이니라"(롬 6:23).

그런데 우리가 구원을 얻는 데 반드시 십자가가 필요한 것일까? 기독교에서 십자가는 그렇게 중요한가? 십자가가 성취한 것은 정확히 어떤 것인가? 이제부터는 십자가의 중심성과 의미를 살펴보기로 하자.

십자가의 중심성

예수님이 죄를 위한 제물로 죽으신 사건이 성경의 중심 주제라는 사실을 이해하기 위해서는 먼저 구약을 보아야 한다. 구약의 종교 행위는 처음부터 제사를 드리는 것이었다. 아벨이 "양의 첫새끼와 그 기름으로 드렸더니 여호와께서 아벨과 그 제물을 열납하신(기쁘게 받으신)"(창 4:4) 이후로 여호와께 예배하는 자들은 제물을 드려왔다. 모세의 율법이 생기기 이전에도 제단을 쌓고, 짐승을 죽여 그 피를 흘렸었다. 그러나 시내산에서 모세를 통해 하나님과 사람 사이에 계약이 맺어진 이후로는, 자발적이고 불규칙적으로 이루어지던 것이 하나님의 명령으로 규정화되었다.

B.C. 7, 8세기의 위대한 예언자들은 예배자들의 형식성과 비도덕성에 항변했지만, 제물 제도는 A.D. 70년 예루살렘 성전이 파괴될 때까지 중단되지 않고 계속되었다. 유대인들은 모두 번제, 소제, 감사제, 속죄제, 속건죄, 관제 등의 제사 의식뿐 아니라, 그들이 제사를 드려야 하는 때인 매일, 매주, 매월, 매년 특별한 제사를 드리는

데에도 익숙해 있었다. 따라서 우둔하지 않은 한, 유대인들은 누구든지 이 모든 교육적인 행상의 근본적인 교훈, 즉 "피 흘림이 없은즉 사함이 없느니라"(히 9:22)를 배울 수 있었다.

구약성경의 제사가 그리스도의 희생 제사를 가시적으로 예시한 것이라면, 예언자들과 시편 기자들 역시 그리스도의 고난을 예언했다. 우리는 여러 시편에서 부당하게 핍박받는 사람들을 통해 그리스도를 볼 수 있는데, 그것이 후에 그리스도께 적용되었다. 스가랴의 목자는 매를 맞고 그 양떼는 흩어지는데, 여기에서 그리스도를 찾아볼 수 있다(슥 13:7; 비교. 막 14:27). 또 다니엘서에 나오는 왕과 "끊어져 없어질", "기름 부음을 받은 자"를 통해서도 이를 볼 수 있다(단 9:25-26). 무엇보다도, 이사야서 후반부에 있는 소위 종의 시가the Servant Songs에 나타나는 숭고한 인물에서 그리스도를 볼 수 있다. 그는 여호와의 고난당하는 종으로, 멸시를 받고, 질고를 아는 자이며, 다른 사람의 허물을 위해 찔리고, 다른 사람의 죄악을 위해 상하며, 도수장으로 끌려가는 양처럼 끌려갔고, 많은 사람의 죄를 졌다고 묘사되어 있다(이사야 53장). "이같이 그리스도가 고난을 받고……기록되었으니"(눅 24:46-47).

예수님은 세상에 오셨을 때 자신의 운명을 알고 계셨다. 그는 성경이 자기에 대해 증거하고 있다는 것과, 사람들의 기대가 자기를 통해 이루어지게 됨을 아셨다. 특별히 그에게 다가오는 고난에 대해서는 더욱 그러했다. 그의 사역의 전화점인 가이사랴 빌립보에서 시몬 베드로가 주는 그리스도라고 고백한 직후, 주님은 "인자가 많은 고난을 받아야 할 것"(막 8:31) 이라고 가르치기 시작하셨다.

그의 가르침에 계속 나타나는 것이 "…해야 한다."must인데, 이것은 하나님의 뜻을 나타내는 성경이 그에게 부과한 의무감에서 비롯된 것이다. 그는 "받을 세례"가 있음을 알았으므로 그것을 이루기까지 답답함을 느끼셨다(눅 12:50). 그는 꾸준히 자신의 "때"를 향해 나아가셨다. 이것에 대해 복음서에서는 수차례에 걸쳐 "때가 아직 이르지 않았다."고 하고 있다. 드디어 십자가가 시야에 들어온 체포 직전, 그는 "아버지여 때가 이르렀사오니"(요 17:1)라고 말할 수 있었다.

앞에 닥친 시련을 볼 때 그는 두려운 예감이 가득했다. 그는 부르짖었다. "지금 내 마음이 민망하니 무슨 말을 하리요 아버지여 나를 구원하여 이 때를 면하게 하여 주옵소서 그러나 내가 이를 위하여 이 때에 왔나이다 아버지여 아버지의 이름을 영광스럽게 하옵소서"(요 12:27-28). 마침내 체포되는 순간이 닥쳤고, 시몬 베드로가 그를 지키기 위해 칼을 휘둘러 대제사장의 종의 귀를 베었다. 그때 예수님은 베드로를 꾸짖으셨다. "검을 집에 꽂으라 아버지께서 주신 잔을 내가 마시지 아니하겠느냐"(요 18:11). 마태복음을 보면 이런 말씀도 하셨다. "너는 내가 내 아버지께 구하여 지금 열두 영(12개 군단) 더 되는 천사를 보내시게 할 수 없는 줄로 아느냐 내가 만일 그렇게 하면 이런 일이 있으리라 한 성경이 어떻게 이루어지리요"(마 26:53-54).

구약이 예언하고 예수님이 가르치신 십자가의 절대적 중요성을 신약성경 기자들은 충분히 깨닫고 있었다. 복음서 기자들은 예수님의 생애와 사역에 비해 지나칠 정도로 많은 지면을 그의 마지막 주간과 죽음에 할애하고 있다. 마태복음은 2/5, 마가복음은 3/5, 누가복음 1/3, 요한복음은 거의 1/2을 예루살렘 입성과 승천 사이의 사건에 할애하고 있는 것이다. 특히 요한복음에서 뚜렷하게 나타나는데, 이 복음서는 절반으로 나뉘어 "표적의 책"과 "수난의 책"으로 불리기도 한다.

복음서에 암시된 것이 서신서, 특히 바울 서신들에 분명하게 진술되어 있다. 바울은 지칠 줄 모르고 꾸준히 독자들에게 십자가를 상기시키고 있다. 자기를 위해 죽으신 구주께 빚진 자라는 생각을 가지고 있을 정도였다. 그래서 그는 예수님을 "나를 사랑하사 나를 위하여 자기 몸을 버리신 하나님의 아들"(갈 2:20)이라 하며, "내게는 우리 주 예수 그리스도의 십자가 외에 결코 자랑할 것이 없다"(갈 6:14)고 하였다.

고린도 사람들은 그리스 철학의 교묘함에 빠지기 쉬웠으므로 바울은 이렇게 기록했다. "유대인은 표적을 구하고 헬라인은 지혜를 찾으나 우리는 십자가에 못박힌 그리스도를 전하니 유대인에게는 거리끼는 것이요 이방인에게는 미련한 것이로되 오직 부르심을 입은 자들에게는 유대인이나 헬라인이나 그리스도는 하나님의 능력이요 하나님의 지혜니라"(고전 1:22-24).

다음은 바울이 그의 두 번째 전도 여행 중 아덴에서 고린도에 처음 왔을 때 실제로 선포한 것이다. "내가 너희 중에서 예수 그리스

십자가는 기독교 신앙의 상징이다

도와 그의 십자가에 못박히신 것 외에는 아무것도 알지 아니하기로 작정하였음이라……내가 받은 것을 먼저 너희에게 전하였노니 이는 성경대로 그리스도께서 우리 죄를 위하여 죽으시고"(고전 2:2, 15:3).

십자가에 대한 강조는 신약 다른 부분에도 많이 나타난다. 베드로가 십자가에 대해 생각하고 기록한 것은 나중에 살펴보게 될 것이다. 히브리서에는 한결같이 그리스도께서 "자기를 단번에 제사로 드려 죄를 없게 하시려고 세상 끝에 나타나셨느니라"(히 9:26)고 선포되어 있고, 또 신비하고 기이한 요한계시록에 이르면 하늘에 있는 보좌 곁에서 "유대 지파의 사자"로뿐만 아니라 "일찍 죽음을 당한 어린양"으로 나타나시는 영광받으신 예수님을 볼 수 있다(계 5:5-6). 또한 헤아릴 수 없이 많은 성도들이 주님을 찬양하는 것을 들을 수 있다. "죽임을 당하신 어린양이 능력과 부와 지혜와 힘과 존귀와 영광과 찬송을 받으시기에 합당하도다"(12절).

따라서 창세기 첫 장에서 요한계시록 마지막 장에 이르기까지 몇몇 기자들이 "주홍 실"이라고 부르는 것이 계속되고 있음을 볼 수 있다. 이것은 실제로 테세우스의 실과 같은 것으로, 성경의 미로에서 길을 찾을 수 있게 해준다. 그리스도의 교회도 성경이 십자가의 중심성에 대해 가르치는 것을 인정하였다. 수많은 교회에서 세례를 줄 때 십자가 기호로 표시하고, 또 무덤에도 십자가를 세워 준다. 흔히 교회는 십자 모형으로 건축되고 있으며, 많은 그리스도인들이 옷깃이나 목걸이에 십자가 보양을 사용한다. 이런 것은 어느 하나도 우연히 생긴 것이 아니다. 십자가는 우리 믿음의 상징이다. 기독교 신앙은 십자가에 못박힌 그리스도에 대한 신앙이다. 콘스탄티누스 대제가 하늘에서 보았다는 것을 우리는 직접 성경에서 볼 수 있다. 십자가 없이 정복이 없고, 십자가 없이 기독교도 없다. 왜 그럴까? 또 그 의미는 무엇인가?

십자가의 의미

그리스도의 죽음의 의미를 설명하기 앞서, 아직도 많은 것이 신비에 싸여 있다고 고백하지 않을 수 없다. 그리스도인들은 십자가 사건이 역사의 중추가 되는 사건이라고 믿는다. 따라서 우리의 보잘것없는 마음이 이것을 다 받아들이지 못하는 것은 그렇게 이상한 일이 아니다. 언젠가는 베일이 모두 걷히고 수수께끼가 다 풀릴 것이다. 그리스도를 있는 그대로 보게 될 것이며, 그가 이루신 일을 인하여 그를 영원토록 예배하게 될 것이다. "우리가 이제는 거울로 보는 것같이 희미하나 그 때에는 얼굴과 얼굴을 대하여 볼 것이요 이제는 내가 부분적으로 아나 그 때에는 주께서 나를 아신 것같이 내가 온전히 알리라"(고전 13:12). 그토록 학식 있고 수많은 계시를 받은 위대한 바울이 이렇게 말했다. 그가 이 정도면 우리야 말해 무엇하겠는가?

따라서 나는 베드로가 베드로전서에서 예수님의 죽음에 대해 언급한 것들을 설명하는 것으로 만족하겠다. 내가 의도적으로 베드로의 글을 살펴보는 데는 3가지 이유가 있다.

첫째, 베드로는 예수님과 가까웠던 핵심 제자 세 명 가운데 하나였기 때문이다. "베드로, 야고보, 요한"은 열두 제자들 가운데서도 예수님과 보다 밀접한 교제를 가졌던 삼총사였다. 그러므로 베드로는 예수님이 자신의 죽음에 대해 생각하신 것과 가르치신 것을 다른 사람들 못지 않게 알고 있었을 것이다. 실제로 우리는 베드로전서에서 그가 자신의 스승의 가르침에 대해 몇 가지 추억을 가지고 있는 것을 볼 수 있다.

둘째, 베드로가 처음에는 그리스도의 고난을 극구 말렸던 사람이기 때문이다. 그는 예수님을 그리스도라고 시인한 최초의 사람이었으나, 또한 그리스도의 죽음의 필요성을 거부한 최초의 사람이기도 했다. "주는 그리스도시요"라고 고백하였던 그가, 예수께서 자신(그리스도)이 고난받아야 할 것을 가르치시자 "주여 그리 마옵소서"라고 외쳤던 것이다.

그 후에도 그는 그리스도께서 지상 사역을 끝마치실 때까지 그리스도께서 죽으셔야 한다는 생각에 대해 굽히지 않고 반대하였다. 그는 동산에서 예수님이 붙잡히려 하실 때 칼을 휘둘러 방어했고, 체포된 후에는 벌찍이 뒤따라갔다. 그리고 우울한 현실에 직면해서 그리스도를 세 번이나 부인했다. 그리하여 그는 자책과 절망의 눈물을 흘려야 했다.

결국 부활하신 그리스도께서 제자들에게 성경을 풀어서 "그리스도가 이런 고난을 받고 자기의 영광에 들어가야 할 것이 아니냐" (눅 24:26)라고 하셨을 때에야 비로소 시몬 베드로는 이해가 되어 믿기 시작했다. 그리고 몇 주 지나지 않아서 그는 진리를 굳게 믿고 성전 행각에서 군중을 향하여 이렇게 연설할 수 있었다. "하나님이 모든 선지자의 입을 의탁하사 자기의 그리스도의 해받으실 일을 미리 알게 하신 것을 이와 같이 이루셨느니라"(행 3:18).

그의 첫 번째 서신인 베드로전서에도 "그리스도의 고난과 영광"에 대한 언급이 수차례 나온다. 우리도 처음에는 그리스도께서 죽으셔야 할 필요성을 시인하기가 꺼려지고 십자가의 의미도 빨리 이해되지 않을 것이다. 이런 우리를 설득시키고 가르칠 수 있는 사람이 있다면 그는 바로 시몬베드로일 것이다.

셋째, 베드로전서에 나오는 십자가에 대한 언급은 비의도적인 것이다. 만일 베드로가 그리스도께서 고난받으셔야 할 필연성을 의도적으로 주장했다면 우리는 그가 의도적이었다는 의심을 갖게 될 것이다. 그러나 그는 명백한 윤리적 의무를 강조하고 있다. 그는 사람들에게 거룩할 것과 인내로 고난을 견딜 것을 촉구하고 나서, 그들을 격려하고 본을 보이는 방편으로 십자가를 언급한다.

베드로전서에서 그리스도를 언급하는 가장 긴 부분은 2장으로 18절에서 끝 절까지 계속된다. 이 본문을 자세히 살펴볼 것을 제안한다. 그러면 십자가에 못박히신 예수님은 첫째는 본으로서 죽으셨고, 둘째는 "죄를 담당한 자"로 죽으셨다는 것을 베드로가 지적하고 있음을 발견하게 될 것이다.

본으로 죽으신 그리스도 벧전 2:21

이 서신서의 배경이 되는 상황은 박해이다. 네로 황제는 교회에 대해 적대적인 것으로 알려져 있었기 때문에, 많은 신자들은 두려움으로 낙심하고 있었다. 이미 발작적인 폭력 사건이 있었고, 다가올 일들은 더욱 심각할 것같이 보였다.

베드로가 제시한 충고는 단도 직입적이다. 기독교도들이 이교 통치자들에게 핍박받고 있지만 자신의 잘못에 의해 형벌을 받고 있는 것이 아님을 확신시킨다. 죄가 있어서 매를 맞고 참는 것은 칭찬받을 일이 못 되므로, 의를 위하여 고난을 받고 그리스도의 이름을 위하여 치욕을 감수하라고 한다. 그들은 복수는 물론 저항해서도 안 된다. 복종해야 한다. 억울한 고난을 인내로 참는 것이 하나님께서 칭찬하시는 것이다.

그때 갑자기 베드로의 마음에 십자가가 떠오른다. 억울한 고난은 그리스도인이 부름받은 내용의 일부였다. 그래서 그는 주장한다.

"그리스도도 너희를 위하여 고난을 받으사 너희에게 본을 끼쳐 그 자취를 따라오게 하려 하셨느니라."벧전 2:21

그는 죄를 범하지 않으셨고 간사함도 없으셨다. 그런데도 모욕당하셨을 때 보복하지 않으셨다. 또한 고난 당하실 때도 위협하지 않으셨다. 그저 자신을 내어 맡기셨을 뿐이나. 본문대로 한다면 그는 그들(핍박하는 사람들)을 오직 공의로 심판하시는 자의 손에 맡기셨던 것이다.

그리스도께서는 우리에게 본을 보여 주셨다. 베드로가 여기서 사용한 '본'에 해당하는 헬라어는 신약성경에 단 한번 나온다. 그것은 선생의 습자책 copybook, 즉 학생이 쓰기를 배울 때 선생의 필체를 그대로 흉내 내어 쓰는 완전한 글씨체를 의미한다. 따라서 그리스도인의 사랑의 가나다를 배우려면 우리 삶을 예수님의 모범에 맞추어야 한다. "주의 발자취를 따라야" 하는 것이다.

이 말은 베드로의 붓 끝에서 나왔기 때문에 더욱 웅변적이다. 그는 이전에 감옥과 죽는 데까지 예수님을 따르겠다고 자만했었다. 그러나 실제로 그런 상황이 벌어지자 "멀찍이 따라갔다." 그후 갈릴리 해변에서 예수님은 "나를 따르라"(요 21:19, 22)는 익숙한 말씀으로 베드로에 대한 부르심과 사명을 새롭게 하셨다. 그때부터 베드로는 주님의 발자취를 보다 충성되게 따르려고 노력하면서 독자들에게 자기와 함께 이 일에 동참할 것을 권고하였던 것이다.

십자가의 도전은 20세기에도 1세기처럼 편안하지 않다. 또한 그것은 이전처럼 오늘날에도 적용된다. 아마 복종하고 대항하지 않으며 불의한 고난을 참고 선으로 악을 이기라는 이 명령보다 우리 본능에 반대되는 것은 없을 것이다. 우리는 맞아 넘어지는 경우 벌떡 일어나서 당한 만큼 갚을 준비를 한다. 그러나 십자가는 그 피해를 그대로 받고, 원수를 사랑하며, 이 문제를 하나님께 맡기라고 명령한다.

그러나 예수님의 죽음은 단순한 감동적인 본만은 아니다. 만일 이것밖에 없다면 복음서에 기록된 많은 사실들이 설명되지 않을 것이다. "인자의 온 것은……자기 목숨을 많은 사람의 대속물로 주려 함이니라"(막 10:45)는 예수님의 말씀은 어떤 뜻일까? 또 다락방에서 "이것은 죄 사함을 얻게 하려고 많은 사람을 위하여 흘리는 바 나의 피 곧 언약의 피니라"(마 26:28)고 하신 말씀의 의미는 무엇일까? 본에는 속죄가 없다. 그것이 용서를 가져다 줄 수 없다.

그 외에도 십자가가 가까이 올 때 왜 예수님의 영혼은 답답하고 외로웠을까? 그리고 겟세마네 동산에서의 주님의 고뇌, 눈물과 부르짖음, 또 피땀은 어떻게 설명해야 하는가?

"내 아버지여 만일 할 만하시거든 이 잔을 내게서 지나가게 하옵소서 그러나 나의 원대로 마옵시고 아버지의 원대로 하옵소서……내 아버지여 만일 내가 마시지 않고는 이 잔이 내게서 지나갈 수 없거든 아버지의 원대로 되기를 원하나이다"(마 26:39, 42).

그가 받지 않으시려 했던 그 잔이란 십자가에서 죽는 것을 의미하지 않는가? 그렇다면 그가 보이신 본은 복종과 인내의 본이었을지는 몰라도 결코 용기의 본은 못되었을 것이다. 플라톤에 의하면, 소크라테스는 아테네에 있는 감옥에서 독배를 "아주 기꺼이 즐겁게" 마셨나고 한다. 소크라테스가 예수님보다 더 용기가 있었다는 말일까? 아니면 그들의 잔에는 각기 다른 독이 들어 있었던 것일까? 그리고 십자가에 달리셨을 때의 흑암과 "어찌하여 나를 버리셨나이까!"라는 부르짖음과 성전 휘장이 위에서부터 아래까지 찢어진 것은 무엇을 의미하는가? 만일 예수님이 단순히 본으로서만 죽으셨다면 이런 것들은 설명할 길이 없다. 실제로 이중 일부는 예수님의 본의 가치를 저하시키는 것처럼 여겨진다.

만일 그리스도의 죽음이 순전히 본이었다면, 복음서에 기록된 사실들 가운데 많은 부분이 불가사의로 남을 뿐 아니라 인간의 필요도 충족되지 못한 채 그대로 남아 있게 된다. 우리는 단순히 본만 필요한 것이 아니다. 구주도 필요한 것이다. 본은 우리의 상상을 자극하고 이상을 불타게 하며 또 결심을 굳게 한다. 그러나 전에 지은 죄를 씻어 상한 양심에 평화를 가져오거나, 하나님과 화평을 누리도록 하지는 못한다.

어느 경우에든지, 사도들은 이 문제에 대해 우리가 의심 속에 있도록 내버려 두지 않는다. 반드시 그리스도께서 오셔서 죽으신 일을 우리의 죄와 연결시킨다.

"성경대로 그리스도께서 우리 죄를 위하여 죽으시고." 고전 15:3

"그리스도께서도 한 번 죄를 위하여 죽으사." 벧전 3:18

"그가 우리 죄를 없이하려고 나타내신 바 된 것을 너희가 아나니." 요일 3:5

이처럼 신약성경의 3대 저자인 바울, 베드로, 요한이 한결같이 그리스도의 죽음과 우리의 죄를 연결짓고 있다.

죄를 담당한 자로 죽으신 그리스도 벧전 2:24

베드로전서 2:24에서 베드로는 그가 "친히 나무에 달려 그 몸으로 우리 죄를 담당하셨다"고 말한다. "죄를 담당한다"는 표현은 우리에게는 상당히 생소한 것이다. 구약성경을 살펴보아야 그 의미를 이해할 수 있을 것이다. 이런 개념은 레위기와 민수기에서 가장 많이 나타나고 있다. 여기서는 하나님의 계시된 법을 어긴 범법자에 대해서 여러 차례에 걸쳐 "그는 죄를 (담)당할 것이니라" 또는 "그는 벌을 (담)당할 것이니라"고 이야기하고 있다. 또 이런 말씀도 있다. "만일 누구든지 여호와의 금령 중 하나를 부지중에 범하여도 허물이라 벌을 당할 것이니"(레 5:17). "죄를 담당한다"는 말은 한 가지 의미, 즉 자기 죄의 결과 다시 말해 죄의 형벌을 담당한다는 의미이다.

그러나 때때로 다른 사람이 죄인의 죄를 대신 책임질 수 있다는 것이 시사되어 있다. 서원의 유효성에 대해 이야기하는 민수기 30

장에서, 모세는 남자나 과부가 한 서원은 반드시 지켜야 한다고 설명한다. 그러나 혼전의 여자나 결혼한 여자가 한 서원은 그 아버지나 남편이 그것을 허락해야 성립된다고 하였다. 만일 남편이 아내의 서원을 듣는 날에 그것을 취소하지 않고 얼마가 지난 후에 무효하게 하면 "그가 아내의 죄를 담당할 것이니라"(민 30:15)고 되어 있다. 또 다른 예는 예레미야 애가 5:7에서 볼 수 있다. "우리 열조는 범죄하고 없어졌고 우리는 그 죄악을 담당하였나이다."

이렇게 다른 사람이 우리 죄에 대한 책임을 맡거나 그 결과를 담당할 수 있는 가능성은, 모세의 율법에 나오는 피 제사에 의해 더욱 상세하게 설명된다. 이 속죄제에 대해서는 이렇게 기록되어 있다. "이는 너희로 회중의 죄를 담당하여 그들을 위하여 여호와 앞에 속(죄)하게 하려고 너희에게 주신 것이니라"(레 10:17). 이와 비슷하게 아론은 속죄일에 그의 손을 속죄 염소의 머리 위에 얹음으로써 자신과 그의 백성들을 그 염소와 동일시하라는 지시를 받았다. 그 다음 그는 이스라엘 민족의 죄를 고백하여 그 죄를 상징적으로 염소에게 전가시킨 후 광야로 쫓아내었다. "염소가 그들의 모든 불의를 지고(담당하고) 무인지경에 이르거든 그는 그 염소를 광야에 놓을지니라"(레 16:22). 이 말씀을 볼 때 "다른 사람의 죄를 담당한다"는 것은 "다른 사람을 대신하는 것, 그를 대신해 그의 죄에 대한 형벌을 지는 것"임이 분명해진다.

그러나 이렇게 놀라운 일시적 대안에도 불구하고 "황소와 염소의 피가 능히 죄를 없이하지 못한다"(히 10:4). 그래서 이사야서의 가장 긴 종의 시가(53장)에서는 죄 없이 고난당하는 자(그리스도를 예시함)가 의도적으로 희생을 당하는 것이 묘사되어 있다. 그는 "도살장으로 끌려가는 어린 양"과 같았는데, 그것은 "그가 그 입을 열지 않았을" 뿐만 아니라 "여호와께서 우리 무리의 죄악을 그에게 담당시키셨기" 때문이다. 그래서 그의 영혼은 "속건 제물"이 되었다.

우리는 다 "양 같아서 그릇 행하였다." 그러나 그도 역시 "양같이", "우리의 허물을 인정하여 찔리고 우리의 죄악을 인하여 상하였다. 그가 징계를 받음으로 우리가 평화를 누리고, 그가 채찍에 맞음으로 우리가 나음을 입었다." "그가 산 자의 땅에서 끊어짐은 마땅히 형벌받을 내 백성의 허물을 인함이라"고 그를 묘사한 이 모든 대치(대신)에 관한 말씀은, 레위기에서 본 말씀과 더불어 같은 장의 두 구절 "그들의 죄악을 친히 담당하리라"와 "그가 많은 사람의 죄를 지리라"로 요약된다.

마침내 오랜 준비 기간 끝에 예수께서 오셨다. 세례 요한은 공공연하게 예수님에 대하여 이렇게 외쳤다. "보라 세상 죄를 지고 가는 하나님의 어린양이로다"(요 1:29, 36). 신약 기자들은 예수님의 죽음이 마지막 희생 제물로서 구약 제사의 성취임을 쉽게 깨달았다. 그리하여 이 진리는 히브리서 내용의 중요한 부분이 되었다. 구약의 희생 제물은 황소와 염소였다. 그러나 그리스도께서는 자신을 희생 제물로 드리셨다. 구약의 제사는 끊임없이 반복되었다. 그러나 그리스도께서는 단 한 번once and for all 죽으셨다. 그리스도께서는 "많은 사람의 죄를 담당하시려고 단번에 드리신 바 되셨다"(히 9:28).

이 말씀은 베드로가 말한 것-"친히 나무에 달려 그 몸으로 우리 죄를 담당하셨으니"(벧전 2:24)-을 생각나게 한다. 하나님의 아들이 사람들의 죄와 자신을 동일시하셨던 것이다. 그는 우리의 속성을 입는 것으로 만족하지 않으셨다. 그래서 우리의 죄악까지도 담당하셨다. 그는 마리아의 배를 통해 "육신"이 되셨을 뿐만 아니라, 갈보리 십자가 위에서 "죄"가 되셨다.

이것은 사도 바울이 한 말로써(고후 5:21), 대속에 대한 성경의 모든 가르침 중에서 가장 놀라운 것에 속한다. 그러나 그 중요한 의미를 놓쳐서는 안 된다. 앞 절에서 바울은 하나님께서 우리의 죄를 우리에게 돌리지 않으셨다고, 즉 우리의 죄를 우리에게 담당시키지 않으셨다고 했다(고후 5:19). 다시 말해서, 하나님께서는 과분한 사랑으로 우리가 우리의 죄에 대해 책임을 져야 한다고 하시지 않은 것이다. 하나님께서는 구약 시대에 그렇게 많이 이야기하시던 "그들은 자신의 죄악을 담당할 것이라"는 말씀을 우리에게 하지 않으셨다. 그렇다면 하나님께서는 어떻게 하셨는가? "하나님이 죄를 알지도 못하신 자로 우리를 대신하여 죄를 삼으신 것은 우리로 하여금 저의 안에서 하나님의 의가 되게 하려 하심이니라"(고후 5:21). 그리스도 자신께는 아무 죄도 없었다. 그러나 우리 죄로 인하여 십자가 위에서 죄가 되신 것이다.

우리가 십자가를 바라볼 때에 이 말들이 의미하는 엄청난 뜻을 이해할 수 있게 된다. 낮 12시에 "온 땅에 어두움이 임하여"(막

15:33) 그리스도께서 죽기까지 3시간 동안 계속 되었다. 그 어둠과 함께 정적이 왔다. 흠이 없는 하나님의 어린양이 당하는 영혼의 고뇌를 어느 눈도 보지 못하고 어느 입술도 말할 수 없었다. 온 세상 모든 역사의 죄가 모두 그에게 지워졌다. 그는 자원하여 그 죄를 자신의 몸으로 담당했다. 그 죄를 자신의 죄로 삼은 것이다. 그는 죄에 대한 모든 책임을 지셨다.

그리하여 영혼이 비참하게 버림을 당한 가운데 그의 입에서 "나의 하나님, 나의 하나님, 어찌하여 나를 버리셨나이까"(막 15:34)라는 고통의 절규가 흘러나왔다. 그 말은 시편 22편 첫 절에서 인용한 것이었다. 예수님은 고통을 당하시면서 그리스도의 고난과 영광에 대한 시편의 묘사를 묵상하신 것이 분명하다. 그러나 하필이면 왜 이 구절을 인용하셨을까? 왜 마지막에 있는 승리의 구절을 인용하지 않으셨을까? "여호와를 두려워하는 너희여 그를 찬송할지어다"(23절) 하거나 "나라는(혹은 주권은) 여호와의 것이요"(28절)라고 하는 것이 낫지 않았을까? 그것은 연약한 인간이나 절망한 인간의 부르짖음이었다고 여겨야 할까? 아니면 하나님의 아들이 무엇을 상상하고 있었다고 여겨야 할까?

아니다. 이 말은 그대로 받아들여야 한다. 그가 이 말씀을 인용하신 것은 자신이 이 말씀을 성취하고 있다고 믿으셨기 때문이다. 그는 우리의 죄를 담당하고 계셨다. 그리고 "눈이 정결하시므로 악을 참아 보지 못하시며 패역을 참아 보지 못하시는"(합 1:13) 하나님께서는 자신의 얼굴을 돌리셨다. 우리의 죄가 하나님 아버지와 그

아들 사이를 가로막은 것이다.

영원히 아버지와 함께 계셨고, 육체에 거하시는 동안에는 아버지와 끊임없는 교제를 누리시던 예수 그리스도께서 그 순간 버림을 당하셨다. 간단히 말해서, 우리의 죄가 그리스도를 지옥으로 보낸 것이다. 그는 하나님으로부터 떠난 영혼의 고통을 맛보셨다. 그는 우리의 죄를 지고 우리가 죽어야 할 죽음을 죽으셨다. 그래서 그는 우리의 죄에 대한 대가인 하나님으로부터 분리라는 형벌을 우리 대신 당하셨다. 그는 "모든 사람을 위하여 자기를 속전으로 주셨다"(딤전 2:6).

그런데 갑자기 그 깜깜한 어둠으로부터 "다 이루었다"는 승리의 외침이 흘러나왔다(요 19:30). 그리고 그는 "아버지여 내 영혼을 아버지 손에 부탁하나이다"라고 말씀하신 후 숨을 거두셨다(눅 23:46). 그가 목적하고 왔던 일이 이루어진 것이다. 성취하려고 했던 구원이 달성된 것이다. 세상의 죄는 담당되었다. 이제 이 구주를 믿고 자신의 구주로 영접하는 모든 사람들은 하나님과 화해할 수 있게 되었다. 이 사실을 공공연하게 증거하려는 듯, 보이지 않는 하나님의 손이 성전의 휘장을 찢어 갈라 버렸다. 이제는 더 이상 휘장이 필요없다. 하나님께서 계시는 거룩한 곳에 들어가는 것을 막는 것은 이제 사라졌다. 그리스도께서 "모든 신자들에게 천국 문을 열어 주신" 것이다. 그후 36시간 후 그는 죽음을 이기고 부활하셔서 자신이 헛되이 죽지 않았음을 증명하셨다.

하나님의 아들이 죄를 담당하신 이 단순하고도 놀라운 이야기가 이상하게도 오늘날 인기가 없다. 그가 우리 죄를 담당하여 우리의 형벌을 받으신 일을 비도덕적이거나 무가치하거나 부당하다고 이야기한다. 물론 이것은 쉽게 일축될 수 있다. 우리는 지금 우리가 할 일이 전혀 남아 있지 않다고 얘기하고 있는 것이 아니다. 우리는 당연히 "영혼의 목자와 감독 되신 이에게" 돌아가 죄에 대하여 죽고 의에 대하여 살아야 한다(벧전 2:24-25).

우리는 그 무엇보다도 "이 모든 것이 하나님께로부터 온다는 것", 즉 그분의 무한한 자비에서 비롯된다는 것을 잊지 않는다. 하나님께서는 구원하기를 원하시지 않는데 제3자인 그리스도께서 애쓰고 계시다고 생각해서는 안 된다. 하나님께서 먼저 이 일을 시작하셨다. 하나님께서는 "그리스도 안에 계시사 세상을 자기와 화목하게 하셨다"(고후 5:19). 하나님께서 그리스도 안에 계시면서 동시에 우리를 위해 그리스도를 죄로 삼으신 방법을 나는 설명할 수 없다. 그러나 이 사도는 동일 문단 속에서 이 두 진리를 이야기하고 있다. 그리고 나는 이 역설을 받아들인다. 이것은 나사렛 예수가 사람인 동시에 하나님이면서도 한 분인 이해할 수 없는 역설을 받아들이는 것과 마찬가지이다. 그의 인격에 역설이 존재한다면 그가 한 일에도 역설이 존재하는 것은 당연하다.

비록 우리가 이 역설을 풀지 못하고 그 신비를 이해할 수 없다 해도, 그리스도와 그의 사도들이 직접 한 말 즉 그리스도께서 우리 죄를 담당하셨다는 것을 받아들여, 그 구절을 그가 우리를 위해 우리의 형벌을 당하셨다는 성경적 의미로 이해해야 한다.

베드로가 말한 것이 이 의미였다는 것은 3가지로써 분명해진다.

첫째, 그는 예수 그리스도께서 우리 죄를 담당하신 것은 "나무" 위에서였다고 말한다. 여기서 "나무"라는 단어는 의도적으로 사용된 것이 분명하다. 이것은 사도행전에 기록된 그의 초기 설교에서 사용한 것과 같다. "너희가 나무에 달아 죽인 예수를 우리 조상의 하나님이 살리시고"(행 5:30). 유대인들은 이 말이 시사하는 것이 신명기 21:23("나무에 달린 자는 하나님께 저주를 받았음이니라")임을 잘 알았을 것이다. 예수님이 "나무"에 달려 삶을 마치셨다는 사실은(유대인들은 십자가에 못박는 것과 나무에 다는 것을 같은 것으로 여긴다.) 예수님이 하나님의 저주 아래 있었다는 것을 의미한다.

사도들은 이 개념을 거부하지 않고 받아들였으며, 바울은 갈라디아서 3장에서 이것을 설명하였다(이것은 신명기에도 기록되어 있다). "누구든지 율법책에 기록된 대로 온갖 일을 항상 행하지 아니하는 자는 저주 아래 있는 자라"(10절). 그러나 "그리스도께서 우리를 위하여 저주를 받은 바 되사 율법의 저주에서 우리를 속량하셨으니 기록된 바 나무에 달린 자마다 저주 아래 있는 자라 하였음이라"(13절)고도 하였다. 문맥상 이 구절들의 명확한 의미는 범죄자들에게 내리는 저주가 십자가 위의 예수님에게 전가되었다는 것이다. 그는 그 저주를 몸소 지고 죽음으로써 우리를 그 저주에서 해방시키셨다.

둘째, 베드로전서의 이 본문은 문구적으로 이사야 53장을 생각나게 하는 것이 다섯 구절 이상이나 된다. 도표로 살펴보자.

베드로전서 2장	이사야 53장
22절 저는 죄를 범치 아니하시고 그 입에 궤사도 없으시며	9절 그는 강포를 행치 아니하였고 그 입에 궤사가 없었으나
23절 욕을 받으시되	3절 멸시를 받아서 사람에게 싫어 버린 바 되었으며
24절 친히……우리 죄를 담당하셨으니	12절 그가 많은 사람의 죄를 지며 (담당하며)
24절 저가 채찍에 맞음으로 너희는 나음을 얻었나니	5절 그가 채찍에 맞음으로 우리가 나음을 입었도다
25절 너희가 전에는 양과 같이 길을 잃었더니	6절 우리는 다 양 같아서 그릇 행하여 각기 제 길로 갔거늘

앞에서 이사야 53장이 다른 사람의 죄를 대신해 희생의 죽음으로 상함받은 죄 없는 사람을 묘사하는 것임을 살펴보았다. 예수님도 이 장(이사야 53장)에 비추어 자신의 임무와 죽음을 해석하였고, 제자들도 뒤따라 그렇게 했다는 것은 의심의 여지가 없다. 에티

오피아의 내시가 자신의 병거 위에서 이 장을 읽고 있다가 여기서 선지자가 가리키는 사람이 누구냐고 전도자 빌립에게 물었을 때, 빌립은 즉시 "예수를 가르쳐 복음을 전했다"(행 8:35).

셋째, 베드로전서의 다른 곳에도 십자가에 대한 언급이 있어서 2장의 이 말에 대한 우리의 해석을 뒷받침해 준다. 1장에서 베드로는 우리가 오직 흠 없고 점 없는 어린양 같은 그리스도의 보배로운 피로 구속되었다고 설명하고 있으며(18-19절), 2절에서는 그리스도의 피 뿌림을 얻었다고 말한다.

그런데 이 두 구절은 이스라엘 백성이 출애굽 직전에 행한 최초의 유월절 제사와 관련이 된다. 이스라엘 민족의 각 가정은 각각 어린 양을 잡아서 그 피를 집 문설주와 문지방에 뿌렸다. 그렇게 해야만 하나님의 심판에서 안전하게 보호될 수 있었고, 또 그렇게 해야만 애굽의 노예 생활에서 벗어날 수 있었다.

베드로는 유월절을 그리스도께 대담하게 적용시킨다(바울도 역시 그랬다. "우리의 유월절 양 곧 그리스도께서 희생이 되셨느니라"<고전 5:7>). 그리스도께서 피를 흘리신 것은 우리를 하나님의 심판과 죄의 속박에서 구속하시기 위해서였다. 이 일이 이루어지려면 반드시 이 피가 우리 각각의 마음에 뿌려져야 한다.

베드로가 십자가를 언급하는 중요한 또 다른 곳은 베드로전서 3:18이다.

"그리스도께서도 한번 죄를 위하여 죽으사 의인으로서 불의한 자를 대신하셨으니 이는 우리를 하나님 앞으로 인도하려 하심이라."

죄는 우리를 하나님에게서 분리시켰다. 그러나 그리스도께서는 우리를 다시 하나님께로 복귀시키기를 원하셨다. 그래서 그는 우리 죄를 대신하여 고난을 당하셨다. 죄가 없으신 구주께서 범죄한 죄인들을 위해 죽으신 것이다. 그리스도께서는 이 일을 단번에(베드로전서 3:18에서는 "한번"에) 이루셨다. 따라서 그가 이루신 일은 반복될 수도, 개선될 수도, 보완될 수도 없다.

이 의미를 몰라서는 안 된다. 우리는 어떠한 종교 행위를 하거나 선행을 한다 해도 죄 사함을 얻을 수 없다. 그런데도 수많은 사람들은 자신의 노력으로 하나님의 은총을 얻으려고 하여 예수 그리스도께서 하신 일을 모욕하고 있다. 그들은 기독교의 복음과 다른 종교의 교리와의 차이를 이해하지 못하고 있는 것이다. 그래서 그들은 모든 종교를 인간이 노력하여 얻는 어떤 것이라고 여긴다. 그들은 "하늘은 스스로 돕는 자를 돕는다."고 말한다. 그러나 그리스도의 십자가는 이런 생각과는 전혀 다르다.

그리스도께서 우리를 위해 죽으신 것은 우리가 스스로를 구원할 수 없기 때문이다. 만일 우리 스스로가 할 수 있는 것이라면 그의 죽음은 쓸데없는 것이 되고 만다. 우리 스스로 하나님의 은총을 얻을 수 있다고 주장하는 것은 그리스도께 대한 모욕이다. 이 말은 그리스도 없이 우리 스스로 할 수 있다는 말이기 때문이다. 그래서 바울은 "만일 의롭게 되는 것이 율법으로 말미암으면 그리스도께서 헛되이 죽으셨느니라" (갈 2:21)고 했다.

사도 바울이 살던 때와 마찬가지로 오늘날에도 십자가의 메시지는 자기 의를 주장하는 사람들에게 거리끼는 것이요 미련한 것이다(고전 1:23). 그러나 수많은 사람들의 양심에 평화를 가져다 준 것이 바로 이것이다. 템플교회 담임 목사였던 리처드 후커는 1585년의 한 설교문에서 이렇게 썼다.

> 십자가를 어리석다거나 미쳤다거나 잔인하다거나 무어라 해도 좋다. 그러나 그것은 우리의 지혜요 위로다. 인간이 죄를 지었고 하나님께서 고난당하셨다. 하나님께서는 자신을 인간의 죄로 삼으셨다. 그럼으로써 인간은 하나님의 의가 되었다.

모든 그리스도인들은 이 말을 할 수 있다. 그가 상하심으로 우리가 나음을 입고, 그가 죽으심으로 생명을 얻으며, 그가 고통 받으심으로 용서가 오고, 그가 고난을 당하심으로 구원이 이루어진다.

8

그 리 스 도 의 구 원

"구원"은 매우 포괄적인 의미를 지닌 말이다. 그리스도의 구원이 죄 사함과 동의어라고 생각하는 것은 큰 오산이다. 하나님께서는 우리의 과거뿐만 아니라 현재와 미래에 대해서도 동일한 관심을 가지고 계신다.

하나님의 계획은 우선 우리를 하나님과 화목하게 한 다음 점진적으로 자기 중심이라는 굴레에서 우리를 해방시켜 다른 사람들과 화목하게 하는 것이다. 우리는 그리스도의 죽음을 통해 죄 사함과 화목함을 얻었으나, 자기로부터의 해방은 성령을 통해서, 사랑의 교제로의 연합은 교회를 통해서 이루어진다. 이 장에서는 그리스도의 구원의 이러한 측면들을 살펴보기로 하겠다.

그리스도의 영(성령)

앞에서 우리의 죄를 단순히 독립적인 사건들의 연속으로 봐서는 안 되고 우리 내부의 도덕적 병의 증세로 보아야 함을 살펴보았다. 이것을 설명하기 위해 예수님은 수차례에 걸쳐 나무와 열매 비유를 사용하셨다. 예수님은 나무에 맺히는 열매의 질은 그 나무의 질에 의해 결정된다고 가르치셨다.

"좋은 나무마다 아름다운 열매를 맺고 못된 나무가 나쁜 열매를 맺나니 좋은 나무가 나쁜 열매를 맺을 수 없고 못된 나무가 아름다운 열매를 맺을 수 없느니라"(마 7:17-18).

따라서 범죄의 원인은 우리의 죄, 즉 타락하고 자기 중심적인 우리의 타고난 본성에 있다. 예수님도 지적하셨듯이, 우리의 죄는 속, 즉 "마음"에서 나온다. 그러므로 행위를 고치려면 먼저 본성을 고쳐야 한다. 예수님은 "나무를 좋게 하라 그러면 그 열매가 좋을 것이다"(마 12:33, NIV 직역)라고 하셨다.

그렇지만 인간의 본성이 과연 변화될 수 있을까? 심술궂은 사람을 상냥하게, 교만한 사람을 겸손하게, 이기적인 사람을 비이기적이게 하는 일이 가능한 것일까? 성경은 이런 기적이 일어날 수 있다고 강력하게 선포한다. 이것은 복음의 영광이 하는 일이다. 예수 그리스도께서는 하나님 앞에서의 우리의 위치뿐만 아니라 우리의 본성 자체까지도 변화시키신다. 그는 신생(新生)의 절대적 필요성을 말씀하신다. 니고데모를 당황하게 하였던 예수님의 말씀은 여전히 우리에게도 해당된다. "진실로 진실로 네게 이르노니……내가 네게 거듭나야 하겠다 하는 말을 기이히 여기지 말라"(요 3:3, 7).

바울이 한 말은 어떤 면에서 매우 극적이다. "누구든지 그리스도 안에 있으면 새로운 피조물이라"(고후 5:17). 따라서 신약성경이 말하는 새로운 마음, 새로운 본성, 새로운 출생, 새로운 피조물이 될 가능성은 있는 것이다.

이 엄청난 내적 변화를 이루게 하는 것은 성령께서 하시는 일이다. 이 새로운 출생(신생, 중생, 거듭남이라고도 한다)은 "위로부터의" 출생이다. 거듭나기 위해서는 "성령으로 나야" 한다. 여기서 이해하기 힘든 삼위일체론을 논의하는 것은 적절하지 못하다. 초대의 사도들이 성령에 대해 기록한 것을 고찰하는 것만으로도 현재의 목적을 위해서는 충분하다. 사도들의 가르침은 그들이 직접 체험하며 배운 것이기 때문이다.

첫째, 성령께서는 오순절에 처음 태어난 분도, 처음 활동을 시작한 분도 아니라는 것을 알아야 한다. 성령은 하나님이시다. 따라서 영원하시며 창조 이래 세상에서 일하고 계신다. 구약에도 성령에 대한 언급이 많이 나온다. 또한 선지자들은 하나님께서 성령을 자기 백성들에게 부어 주셔서 그들이 하나님의 법을 순종할 때를 고대했다.

구약의 예언자들이 예언했던 것을 그리스도께서는 즉시 이루어 줄 것으로 약속하셨다. 예수님은 죽기 직전 은밀하게 다락방에 열두 제자와 모였을 때 세상에 와서 자신을 대신할 "보혜사" 곧 "진리의 성령"에 대해 이야기하셨다.

실제로 제자들에게는 예수님이 지상에 계실 때보다 성령께서 함께하시는 것이 더 유리했다. "내가 떠나가는 것이 너희에게 유익이라 내가 떠나가지 아니하면 보혜사가 너희에게로 오시지 아니할 것이요 가면 내가 그를 너희에게로 보내리니"(요 16:7). 유리한 점이라는 것은 주로 이것이다. 그리스도께서는 단지 그들 곁에서 그들과 함께with 있을 뿐이지만 "저(성령)는……너희 속에in"(요 14:17) 계실 것이기 때문이다.

우리가 예수님의 가르치는 사역은 실패였다고 말한다 해도 일리는 있다. 예수님은 몇 차례씩 어린아이를 가운데 세우시고 제자들에게 겸손하라고 역설하였다. 그러나 시몬 베드로는 여전히 교만하고 자만했다. 예수님은 종종 서로 사랑하라고 가르치셨다. 그러나 요한도 끝까지 그의 별명 "우뢰의 아들"답게 행동한 것같이 여겨진다. 그러나 베드로가 쓴 첫 번째 서신서를 읽어 보면 반드시 겸손이 언급되어 있는 것을 발견하게 된다. 또한 요한의 서신서에는 사랑이 넘친다. 무엇 때문에 이렇게 달라졌을까? 바로 성령 때문이다. 예수님은 그들에게 겸손하고 사랑할 것을 가르치셨다. 그러나 그들은 성령께서 그들의 인격 속에 들어가 그들을 안에서부터 변화시키실 때까지는 겸손과 사랑의 기미를 보이지 않았다.

오순절에 그들은 "다 성령의 충만함을 받았다"(행 2:4). 이것은 사도들과 뛰어난 성자들에게만 특별히 있는 경험이라고 생각하지 말라. "성령의 충만을 받으라"(엡 5:18)는 모든 그리스도인들을 향한 명령이다. 성령의 내주하심은 모든 그리스도인의 영적 생득권이다. 만일 성령께서 우리 안에 거하시지 않으면 우리는 결코 그리스도인이 아니다. "누구든지 그리스도의 영이 없으면 그리스도의 사람이 아니라"(롬 8:9)고 바울은 기록했다.

이것은 신약성경이 가르치는 것이다. 우리가 예수 그리스도를 의지하고 그에게 우리 자신을 맡기면 성령께서 우리 안에 들어오신다. 하나님께서는 성령을 "우리 마음 가운데 보내셨다"(갈 4:6). 하나님께서 우리 몸을 하나님의 성전으로 삼으신 것이다(고전 6:19).

성령께서 우리 안에 계시다는 것은 우리가 이제부터는 죄 지을 가능성이 없다는 뜻이 아니다. 그와는 반대로 갈등이 심해질 수도 있다. 그러나 한편 승리의 길이 열린 것이기도 하다. 바울은 갈라디아서 5장에서 싸움에 대한 생생한 묘사를 하고 있다. 이 싸움은 우리 본래의 자기 중심적 본성인 "육체"와 "성령"이 싸우는 것이다. "육체의 소욕은 성령을 거스르고 성령의 소욕은 육체를 거스르나니 이 둘이 서로 대적함으로……"(갈 5:17).

이는 무미 건조한 신학 이론이 아니라 모든 그리스도인이 매일 경험하는 것이다. 우리는 끊임없이 우리를 끌어내리는 죄의 욕망을 느낀다. 그러나 동시에 우리를 거룩으로 끌어올리는 반대 세력도 의식한다. 만일 "육체"의 고삐가 풀어지면, 그것은 우리를 몰아 바울이 19-21절에 열거해 놓은 비도덕적이고 이기적인 악의 정글 속에 빠뜨릴 것이다. 반면에 성령께서 원하시는 대로 하게 되면, 그 열매는 "사랑과 희락과 화평과 오래 참음과 자비와 양선과 충성과 온유와 절제"(22-23절)가 될 것이다. 이 아름다운 덕들을 바울은 "성령의 열매"라고 불렀다. 인간의 인격은 성령께서 가꾸시는 과수원으로 비유된다. 성령께서 나무를 좋게 하시게 하라. 그러면 그 열매도 좋게 될 것이다.

그러면 어떻게 하여 그 무서운 일을 하는 "육체"를 극복하고 "성령의 열매"가 자라 결실하게 할 수 있을까? 그 대답은 육체와 성령에 대한 우리의 내적 태도에 있다. "그리스도 예수의 사람들은 육체와 함께 그 정과 욕심을 십자가에 못박았느니라……너희는 성령을 좇아 행하라 그리하면 육체의 욕심을 이루지 아니하리라"(갈 5:24, 16). "육체"에 대해서는 "십자가에 못박았다"는 말만이 설명할 수 있을 정도로 강력한 저항과 단호한 거부를 해야 한다. 그와는 반대로 내주하시는 성령께 대해서는 의지하고 복종하여 우리 삶을 온전히 지배하시도록 해야 한다. 우리가 육체를 부인하고 성령에 굴복하는 습관을 가질수록 육체의 추한 일은 점점 사라지고 성령의 아름다운 열매가 그 자리를 대신하게 될 것이다.

바울은 이와 동일한 진리를 고린도후서 3:18에서도 가르치고 있다. "우리가 수건을 벗은 얼굴로 거울을 보듯이 주님의 영광을 보게 되면 점점 더한 영광으로 주님의 모습을 닮아가게 됩니다. 그 영광은 영이신 주님에게서 나옵니다"(현대인의성경). 우리가 꾸준히 그리스도를 바라보는 동안 그리스도의 형상으로 변화되는데 그것은 그리스도의 영에 의하여 이루어진다. 이처럼 우리가 해야 할 일—회개와 믿음과 훈련—도 있다. 그러나 근본적으로 거룩하게 되는 것은 성령께서 하시는 일이다.

우리가 가진 모든 미덕
우리가 얻는 모든 승리
우리가 하는 모든 거룩한 생각
오직 그분의 것이라.

순결과 은혜의 성령이여
우리의 연약함을 불쌍히 여기소서.
우리의 마음을 주의 거처로 삼으사
주께 더욱 귀하게 하옵소서.

윌리엄 템플은 다음과 같이 설명하곤 하였다.

나에게 햄릿이나 리어왕 같은 희곡을 써 보라고 해봤자 소용없는 일이다. 그것은 셰익스피어나 할 수 있는 일이지 나는 할 수 없는 일이기 때문이다. 마찬가지로 예수님의 삶을 보여 주면서 그런 삶을 살라고 해도 소용없는 일이다. 예수님은 그렇게 하실 수 있어도 나는 할 수 없기 때문이다. 그러나 셰익스피어의 재능이 내게 들어와 내 안에 거한다면 나도 그런 희곡을 쓸 수 있을 것이다. 또한 예수님의 영이 내게 들어와 내 안에 거하신다 면 그때는 나도 그런 삶을 살 수 있을 것이다.

바로 이것이 그리스도인이 거룩한 삶을 사는 비결이다. 우리가 예수님처럼 살려고 애를 쓰는 것만으로는 안 된다. 예수님이 그의 영을 통해 우리 안에 들어와 사셔야 한다. 예수님을 우리의 본으로 삼는 것만으로는 충분하지 못하다. 우리의 구주로서 그를 모셔야 한다.

그의 구속적 죽음을 통해 우리 죄에 대한 형벌이 삼면되었다. 그러나 죄의 권세가 무너지는 것은 내주하시는 그리스도의 성령을 통해서이다.

그리스도의 교회

죄는 분리하는 경향을 지니고 있다. 이것은 이웃과 조화하지 못하게 한다. 결국 창조주에게서뿐만 아니라 동료 인간들에게서도 멀어지게 한다. 우리는 학교, 병원, 공장, 사무실 등 어떤 한 공동체가 어떻게 해서 적대감과 의심의 온상이 되는지 경험을 통해 알고 있다. "서로 하나가 되어 사는 것"은 매우 힘들다.

하나님께서 계획하신 것은 우리와 하나님은 물론 다른 사람들과의 사이도 화목하게 하는 것이다. 그래서 하나님은, 서로 독립적이고 떨어져 있는 개인들을 각각 고립된 채로 부르는 것이 아니라 한 백성으로 구속하여 하나님의 소유가 되게 하신다.

이것은 창세기 첫 부분에서 이미 명백하게 드러나 있다. 하나님께서는 메소포타미아에 있는 그의 집과 친척을 떠나라고 아브라함을 부르시고, 그에게 한 나라뿐만 아니라 하늘의 별같이 바닷가의 모래같이 무수한 자손을 주겠다고 약속하셨다. 아브라함의 후손을 번성하게 하고 그들을 통해 땅의 모든 민족을 축복하시겠다는 이 언약은 아브라함의 아들 이삭과 손자 야곱에게도 재확인되었다.

그러나 야곱은 애굽(이집트) 땅에서 죽었고, 그의 열두 아들들이 살아 남아서 "이스라엘"(하나님께서 지어 주신 야곱의 이름) 열두 지파의 조상이 되었다. 그 후 하나님께서는 애굽의 종살이에서 구출된 이들, "이스라엘의 자손들"에게 그분의 언약을 다시 다짐하셨다.

하지만 어떤 방법으로 세상 모든 족속이 복을 받을 것인가? 역사가 흐름에 따라 이스라엘의 운명이 전개되었지만, 여전히 그들은 세상 모든 민족에게 복이라기보다는 저주로 보였다. 이 하나님의 백성들은 스스로 높은 담을 쌓아서, 부정한 이방인들과 접촉하여 더러워지는 것을 막았다. 그것은 마치 그들이 세상에 복을 주는 자로서의 신분을 잃어버린 것같이 보였다. 하나님께서 아브라함에게 하신 약속이 거짓이었을까? 아니다. 많은 예언자들은 하나님 말씀을 통해, 메시아 곧 하나님께서 기름 부으신 왕이 오시면 세계 각처에서 나그네들이 와서 하나님 나라로 들어갈 것을 알았다.

마침내 그리스도께서 오셨다. 나사렛 예수가 오랫동안 기다리던 천국이 왔음을 선포하셨다. 그는 수많은 사람들이 동서남북 각처에서 와서 아브라함, 이삭, 야곱과 함께 앉을 것이라고 말씀하셨다. 하나님의 백성은 더 이상 한 민족으로 국한되지 않는다. 모든 민족과 종족과 언어로 구성된 집단인 것이다. 부활하신 주님께서는 자기를 따르는 자들에게 명령하셨다. "가서 모든 족속으로 제자를 삼아……" (마 28:19). 주님께서는 이 제자들의 총체를 "내 교회"라고 부르셨다(마 16:18).

이처럼 하나님께서 아브라함에게 몇 차례나 약속하시고 또 그 자손들에게 재확인하신 언약은 오늘날 전세계에 퍼진 교회의 성장으로 이루어져 가고 있다. 바울은 이렇게 기록했다. "너희가 그리스도께 속한 자면 곧 아브라함의 자손이요 약속대로 유업을 이을 자니라" (갈 3:29).

바울 사도가 믿는 자들이 그리스도 안에서 연합됨(하나됨)을 나타내기 위해 사용한 가장 인상적인 묘사들 가운데 하나가 인간의 몸에 빗대어 한 묘사다. 그는 교회는 그리스도의 몸이라고 말한다. 각각의 그리스도인들은 그 몸의 일부 또는 기관(지체)이며, 그리스도는 몸의 활동을 다스리는 머리이시다. 모든 기관이 동일한 기능을 가지고 있지는 않다. 그러나 각각의 기관은 몸이 최대로 건강하게 완전한 역할을 하기 위해서 필요하다.

뿐만 아니라 몸 전체는 공통의 생명에 의해 활기를 얻고 있다. 이것이 바로 성령이다. 몸이 하나로 되는 것은 이 성령이 있기 때문이다. 교회의 연합은 성령 때문인 것이다. "몸이 하나이요 성령이 하나이니" (엡 4:4)라고 바울은 강조한다. 교회가 외적으로나 조직적으로 나누어져 있다 해도, 이것이 분해 불가능한 교회의 내적이고 영적인 연합을 파괴하지는 못한다. 이것이 "성령의 하나됨" (연합됨)또는 "성령의 교제"이다(엡 4:3; 빌 2:1; 고후 13:13). 우리를 깊고도 영원하게 하나가 되게 하는 것은 바로 우리가 공통적으로 성령 안에 참여하는 것이다.

그렇지만 우리는 볼 수 없고 만질 수 없는 교회의 구성원이 된 것만으로 만족해서는 안 된다. 지역 교회에 참여하지도 않으면서 무형, 우주 교회의 구성원이라고 주장하는 것은 무의미하다. 지역 교회에서 각 그리스도인들은 예배를 드리고 교제를 즐기며 봉사할 기회를 얻는 것이다.

오늘날 많은 사람들은 이 조직체로서의 교회에 반발한다. 어떤 사람들은 전적으로 부정하기도 한다. 물론 교회가 시대에 뒤떨어졌고 내부 지향적이며 복고적이기 때문에 어느 정도 이해할 수는 있다. 그러나 교회는 사람들—죄 있고 불완전한 사람들—로 이루어졌다는 사실을 기억해야 한다. 이것은 교회를 회피할 이유가 못 된다. 우리도 역시 죄 있고 불완전하지 않은가!

우리는 유형 교회의 구성원이라고 다 무형 교회의 일원은 아니라는 사실을 인정해야 한다. 교회의 교적부나 등록부에 이름이 올려진 사람들 가운데 일부는 하늘의 생명책에 이름이 기록되지 않았을 수도 있다. 그러나 이것은 우리가 판단할 일이 아니다. "주께서

성령의 첫째 열매는 사랑이다

자기 백성을 아신다”(딤후 2:19). 목사는 신앙을 고백하고 세례를 받는 사람을 교회의 일원으로 인정하지만, 하나님께서는 그 마음을 보신다. 실제로 살아 움직이는 믿음을 가지고 있는지 어떤지를 아신다. 이 둘은 거의 같아 보이지만 똑같지는 않다.

성령께서는 교회의 공통 생명의 주인이실 뿐만 아니라 공통 사랑의 창조자도 되신다. 성령의 첫째 열매는 사랑이다. 성령의 본질이 바로 사랑인 것이다. 그래서 성령께서는 자신이 내주하는 자에게 사랑을 주신다. 모든 그리스도인들은 전혀 알지도 못하고 배경도 아주 다른 그리스도인들에게 끌렸던 특이한 경험을 한 적이 있을 것이다. 하나님의 자녀들 사이에 생겨나 발전하는 관계는 혈육 관계보다 깊고 아름답다. 이것이 하나님 가족의 혈연관계다.

진실로 우리는 “형제를 사랑함으로 사망에서 옮겨 생명으로 들어간 줄을 안다”(요일 3:14). 이 사랑은 감상적인 사랑이 아니다. 근본적으로 감정적인 것도 아니다. 이 사랑의 정수는 자기 희생으로, 다른 사람을 섬기고 잘되게 하려는 욕구로 나타난다. 이 사랑에 의해 자기 중심적인 죄의 세력이 격퇴된다. 죄는 분열하지만 사랑은 연합시키고, 죄는 이간시키지만 사랑은 화해시킨다.

교회의 역사가 수많은 오점과 얼룩으로 점철되어 있는 것은 사실이다. 어떤 교회는 생명으로 활기에 차 있기보다는 죽었거나 죽어가는 것같이 보인다. 또 어떤 교회는 파당으로 찢어지고 사랑이 없어 건조하다. 신앙을 고백하고 그리스도인이라고 자처하는 사람들이라고 모두 예수 그리스도의 삶과 사랑을 실천하지는 않는 것이다.

그럼에도 불구하고 그리스도인은 그 지역 그리스도인의 공동체와 함께한다. 그 공동체가 아무리 불완전해도 그리스도인은 거기서 형제 자매들과 함께 어울려 서로 교제하고, 하나님께 예배하며, 예수 그리스도를 세상에 증거한다.

PART FOUR | 인 간 이 해 야 할 일

9. 비용 계산
10. 결정
11. 그리스도인의 삶

인간이 해야 할 일

9

비 용 계 산

이제까지 나사렛 예수의 독특한 신성에 대한 증거를 검토했고, 범죄함으로 하나님에게서 멀어지고 자신에게 얽매였으며, 동료 인간들과 조화를 이루지 못하는 인간의 비참한 상태를 고찰했다. 그리고 그리스도께서 우리를 위해 이루시고 제공하시는 구원의 주요 측면들을 훑어보았다. 이제는 다소 사람 사울이 다메섹으로 가던 중 예수 그리스도께 했던 질문 "주여 무엇을 하리이까"(행 22:10)나, 빌립보의 간수가 했던 비슷한 질문 "내가 어떻게 하여야 구원을 얻으리이까"(행 16:30)를 우리가 직접 해야 할 때다.

분명히 우리는 어떤 일을 해야만 한다. 기독교 신앙이란 단순히 일련의 제안에 대해 수동적으로 동의하는 것이–비록 진정으로 그렇게 한다 해도-아니다. 우리는 그리스도의 신성과 구원을 믿고, 죄인으로서 우리가 그의 구원이 절실하게 필요함을 인정할지도 모른다. 그러나 이렇게 한다고 해서 그리스도인이 되는 것은 아니다. 우리가 예수 그리스도께 대해 개인적으로 해야 할 일, 즉 우리 자신을 온전히 그리스도께 맡겨 그를 우리 구주와 주님으로 모셔야 하는 일이 남아 있다. 이것에 대한 구체적 설명은 다음 장에서 다루기로 하고, 이 장에서는 그 의미를 살펴보기로 하자.

예수님은 결코 숨김 없이 자기를 따르는 데는 주는 것과 요구하는 것이 있음을 밝히셨다. 실제로 주는 것이 값없이 제공되는 것과 마찬가지로 요구하는 것도 전체였다. 예수님은 인류에게 구원을 주신 반면 복종을 요구하셨다. 그는 무분별하게 제자가 되겠다고 나선 자들에게 어떤 격려도 하지 않으셨다. 또한 구하는 자에게는 어떠한 부담도 주지 않으셨다. 또 그는 무책임한 광신자들을 빈손으로 돌려보내셨다. 누가복음에는 자발적으로나 권유를 받아서 주님을 따르려고 온 세 사람 가운데 한 사람도 주님의 시험을 통과하지 못했다고 기록되어 있다(눅 9:57-62). 어떤 젊은 관원도 도덕적이며 진지하고 매력적인 삶을 얻지 못하고 자기 부(富)를 싸안은 채 근심하며 돌아갔다(눅 18:18-23).

어느 날에는 허다한 무리가 함께 예수님을 따랐다. 어쩌면 그들은 주님께 대한 충성을 표하는 슬로건을 외치고 또 자신의 충성을 인상적으로 나타내 보이고 있었을 것이다. 그러나 그들의 마음을 독파하신 그리스도께서는 그들의 충성이 얼마나 피상적인가를 알고 계셨다. 그래서 가던 길을 멈추시고 그들에게 정곡을 찌르는 질문 형식의 예화를 들려주셨다.

"너희 중에 누가 망대를 세우고자 할진대 자기의 가진 것이 준공하기까지에 족할는지 먼저 앉아 그 비용을 예산하지 아니하겠느냐 그렇게 아니하여 그 기초만 쌓고 능히 이루지 못하면 보는 자가 다 비웃어 가로되 이 사람이 역사를 시작하고 능히 이루지 못하였다 하리라." 14:28-30

기독교인의 세계는 반쯤 짓다가 버려 둔 탑들의 파편들, 즉 건축을 시작했다가 완성하지 못한 폐허들로 덮여있다. 매년 수천명의 사람들이 그리스도를 따를 때 치러야 할 비용을 계산해 보지도 않은 채 따르겠다고 나선다. 그 결과는 오늘날 기독교계의 커다란 수치인 소위 "명목상의 기독교"라는 것이다.

기독교 문화가 보편화된 나라에서는 많은 사람들이 고상하지만 얄팍한 기독교 신앙의 가면을 쓰고 있다. 그들은 존경은 잃지 않되 불편하지 않은 범위 내에서 신앙 생활을 한다. 그들의 종교는 크고 안락한 쿠션이다. 종교가 그들의 삶을 어려운 일로부터 보호해 주는 일은 하고 있지만, 그 위치와 형태는 그들에게 편하도록 변화되어 있다. 비평가들이 교회 안의 위선을 지적하고 현실 도피라고 배격하는 것은 어쩌면 당연한 일이다.

그러나 예수님의 말씀은 이와는 전혀 다르다. 예수님은 자신의 기준을 낮추시거나 조건을 수정하여 그의 부름을 받아들이기 쉽게 하신 일이 결코 없으시다. 주님께서는 처음 부르신 제자들로부터 그 이후의 모든 제자들에 이르기까지 동일하게, 깊이 생각한 다음 그들의 모든 것을 바치도록 요구하셨다.

이제 우리는 주님께서 하신 말씀을 정확하게 논의해야 할 단계에 왔다.

"무리와 제자들을 불러 이르시되 아무든지 나를 따라오려거든 자기를 부인하고 자기 십자가를 지고 나를 좇을 것이니라 누구든지 제 목숨을 구원코자 하면 잃을 것이요 누구든지 나와 복음을 위하여 제 목숨을 잃으면 구원하리라 사람이 만일 온 천하를 얻고도 제 목숨을 잃으면 무엇이 유익하리요 사람이 무엇을 주고 제 목숨을 바꾸겠느냐 누구든지 이 음란하고 죄 많은 세대에서 나와 내 말을 부끄러워하면 인자도 아버지의 영광으로 거룩한 천사들과 함께 올 때에 그 사람을 부끄러워하리라." 막 8:34-38

그리스도를 따르라는 부르심

그리스도의 부르심을 가장 간단히 표현하면 "나를 따르라"이다. 주님께서는 사람들에게 개인적 충성을 요구하셨다. 또한 사람들에게 자기에게서 배우고 자기 말을 순종하며 자기의 목적을 그들의 목적으로 삼으라고 권면하셨다.

그러자면 먼저 버려야 한다. 그리스도를 따른다는 것은 보다 작은 모든 충성할 일들을 버리는 것이다. 그리스도께서 세상에 사시던 그 때에는 이것이 실제로 집과 일자리를 버리는 것을 의미했다. 시몬과 안드레는 "그물을 버려두고 좇았다." 야고보와 요한은 "그 아비 세베대를 삯꾼들과 함께 배에 버려두고 예수님을 따랐다." 마태는 "세관에 앉아 있다가……모든 것을 버리고 일어나 좇았다" (막 1:16-20; 눅 5:27-28).

오늘날도 예수 그리스도의 부르심은 원칙적으로 변함이 없다. 아직도 그는 "나를 따르라"고 하시며, 덧붙여 "너희 중에 누구든지 자기의 모든 소유를 버리지 아니하면 능히 내 제자가 되지 못하리라" (눅 14:33)고 말씀하신다. 하지만 실제에 있어서 이 명령은 대다수의 그리스도인들에게 물리적으로 집이나 직장을 떠나라는 것을 의미하지는 않는다. 그것보다 우리 마음에서 첫 자리를 차지하는 가족에 대한 애정이나 세상 야망을 내적으로 포기하고 거부하는 것을 의미한다.

이제 예수 그리스도를 따르는 일과 분리될 수 없는, 버리는 일에 대해 좀더 자세히 살펴보기로 하자.

첫째, 죄를 버려야 한다. 이것을 한 마디로 말하면 회개이다. 이것은 그리스도인으로 개종하는 데 있어서의 첫째 요소이다. 따라서 어떠한 경우에도 이것을 거쳐야 한다. 회개와 믿음은 맥을 같이한다. 죄를 버리지 않고는 그리스도를 따를 수 없다.

회개란 그릇된 것으로 알려진 모든 생각, 말, 행위 및 습관에서 단호하게 돌아서는 것을 의미한다. 자책감을 심하게 느끼거나 하나님께 사과하는 것만으로는 부족하다. 근본적으로 회개는 감정의 문제도, 말의 문제도 아니다. 회개는 죄에 대한 마음과 태도의 내적 변화로, 그 결과 행위의 변화도 따르는 것이다.

여기에는 타협이 있을 수 없다. 우리에게는 결코 버릴 수 없을 것 같은 죄가 있을지도 모른다. 그러나 그 죄에서 벗어나게 해달라고 하나님께 부르짖으면 기꺼이 버려질 것이다. 옳은 것과 그른 것, 버려야 할 것과 가지고 있어야 할 것에 대해 확실하게 모를 경우, 자기가 아는 그리스도인들의 습관과 인습에 지나치게 영향을 받지 않도록 해야 한다.

성경에 나타난 분명한 가르침과 양심의 소리대로 행동하라. 그러면 그리스도께서 점진적으로 의의 길로 인도하실 것이다. 주님께서 어떤 것을 구체적으로 지적하시면 그것을 포기하라. 그것은 친구 관계일 수도 있고 오락일 수도 있으며 우리가 읽는 책, 교만, 시기, 증오, 용서하지 않는 태도일 수도 있다. 이것에 대해서는 냉정해야 한다.

그리스도께서는 눈이 범죄케 하거든 빼어 버리고 발이 범죄케 하거든 잘라 버리라고 하셨다. 물론 이 말씀을 문자대로 해석하여 그대로 하라는 것은 아니다. 오랫동안 유혹의 통로였던 이것들에 대해 냉정할 것을 의미하는 생생한 표현이다.

때로는 진정한 회개를 하기 위해서 "배상"을 해야 하는 경우도 있다. 이 말은 우리가 해를 입혔을지도 모르는 사람들과의 일을 의미한다. 위의 모든 죄는 하나님께 상처를 준다. 그러나 우리가 하는 어떤 일도 그 상처를 치료할 수 없다. 오직 우리 구주 예수 그리스도의 대속의 죽음만이 치료할 수 있다. 그러나 우리의 죄가 다른 사람들에게 해를 입혔을 경우, 우리는 그 해를 복구하는 데 기여할 수 있다. 그리고 할 수 있는 한 그렇게 해야 한다.

부정직했던 세리 삭개오는 그가 속여 받은 돈을 그보다 많은 돈으로 갚았으며, 자기 재산의 절반을 가난한 자들에게 나누어 주겠다고 약속하여 주인을 찾아 줄 수 없는 것들에 대한 보상을 하기로 했다. 우리는 삭개오의 본을 따라야 한다. 아마 우리가 해결해야 할 것에는 돈이나 시간을 되돌려 주는 일, 그릇된 말을 바로잡는 일, 물건을 돌려주는 일, 어떤 일에 대해 사과하는 일, 끊어진 관계를 회복시키는 일 등이 있을 것이다.

하지만 이 일에 있어서 지나치게 신중해서도 안 된다. 지난 날들을 샅샅이 뒤져서 상대방이 이미 오래 전에 잊어버린 사소한 말이나 행동을 다시 문제삼는 일은 현명하지 못하다. 그러나 이 의무는 실행에 옮겨야 한다. 한 여학생은 시험 때 부정 행위를 한 것을 대학 당국에 고백했고, 서점에서 훔친 책을 되돌려 주었다. 어떤 장교는 자기가 훔친 물품 목록을 군 당국에 보내기도 했다. 만일 진정으로 회개한다면 과거를 바로잡기 위해 할 수 있는 모든 일을 할 것이다. 용서받기 원하는 죄의 열매들을 더 이상 즐길 수 없기 때문이다.

둘째, 자기를 버려야 한다. 그리스도를 따르기 위해서는 죄를 버려야 할 뿐만 아니라 모든 행위의 근원인 자기 의지도 부정해야 한다. 그리스도를 따른다는 것은, 삶에 대한 권리를 주님께 넘겨 드리는 것을 의미한다. 우리 마음의 왕좌에서 내려와 그리스도를 왕으로 모셔 충성을 서약하는 것이다. 이 자기 부정은 예수님의 말씀에 아주 잘 설명되어 있다.

주님을 따르려면 "자기를 부인해야" 한다. "아무든지 나를 따라오려거든 자기를 부인하고"(눅 9:23). 이때 사용된 단어가 베드로가 대제사장의 뜰에서 주님을 부인할 때도 사용되었다. 우리는 베드로가 "내가 그 사람을 알지 못하노라"(마 26:72)고 그리스도를 부인한 것처럼 철저하게 우리 자신을 부인해야 한다.

자기 부인이란 맛있는 음식이나 담배를 영원히 또는 일정 기간 동안 근신을 위해 삼가는 것이 아니다. 자기 부인은 어떤 대상을 부인하는 것이 아니라 바로 자기 자신을 부인하는 것이기 때문이다. 자기 부인은 자신에 대해서는 "아니오"라고 하고 그리스도께 대해서는 "예"라고 하는 것이다. 자기를 거부하고 그리스도를 인정하는 것이다.

다음에는 "자기 십자가를 져야" 한다. "아무든지 나를 따라오려거든 자기를 부인하고 날마다 제 십자가를 지고 나를 좇을 것이니라." 만일 우리가 팔레스타인 지방에 살고 있다면, 십자가를 지고 가는 사람을 볼 때 즉시 그가 가장 중한 죄를 짓고 형벌을 받기 위해 끌려가고 있음을 알아차릴 것이다. 팔레스타인은 당시 로마의 지배하에 있었고, 이것은 로마 당국이 죄수에게 강요한 일이었기 때문이다.

그래서 스웨트H. B. Swete 교수는 마가복음 주석에서, 십자가를 진다는 것은 "자신을 유죄 선고를 받아 형벌을 받으러 가는 사람의 위치에 두는 것"이라고 썼다. 다시 말해서 우리 자신에 대해서 취해야 할 태도는 십자가에 못박는 태도인 것이다. 바울은 이와 동일한 비유를 사용했다. "그리스도 예수의 사람들은 육체(즉 자신의 타락한 본성)와 함께 그 정과 욕심을 십자가에 못박았느니라"(갈 5:24).

누가복음에는 그리스도의 말씀에 "날마다" 라는 말이 덧붙여져 있다. 그리스도인은 날마다 죽어야 한다. 날마다 자기 의지의 지배를 부정해야 한다. 날마다 새롭게 예수 그리스도께 굴복해야 한다.

자기 부정을 설명하기 위해 예수님이 사용하신 세 번째 표현은 "제 목숨을 잃는다"는 것이다. "누구든지……제 목숨을 잃으면 구원하리라"(막 8:35). 여기서 "목숨"*psyche*이란 말은 육체적 생명도 영혼도 아니고 우리 자아를 나타낸다. 생각하고 느끼고 계획하고 결정하는 자아, 즉 인간의 인격이다. 누가복음에 기록된 이와 비슷한 말씀을 보면, 예수님은 단순히 재귀 대명사를 사용하여 "자신" himself을 잃는 사람에 관해 말씀하였다.

따라서 자신을 그리스도께 위탁하는 사람은 자신을 잃는 것이다. 그렇다고 이것이 그의 개성을 잃는 것을 의미하는 것은 아니다. 그의 의지는 실재로 그리스도의 의지에 굴복되어 있지만, 속성은 그리스도의 속성에 흡수되지 않는다. 그와는 반대로(나중에 보겠지만), 그리스도인이 자기를 잃을 때는 오히려 자기를 발견하여 진정한 자기의 정체identity를 깨닫게 된다.

그러므로 그리스도를 따르려면 자기를 부인하고, 자기를 십자가에 못박으며, 자기를 잃어야 한다. 이제 예수 그리스도의 완전하고도 준엄한 명령이 분명하게 제시되었다. 주님께서는 적당하게 반(半) 마음으로 따르는 것을 원하지 않으시고 열정적이고 절대적인 헌신을 요구하신다. 그리스도께서는 우리가 그를 우리의 주님으로 모시기를 요구하신다.

그리스도의 절대적인 주님 되심에 대한 도전을 받아들이지 않고도 그리스도의 구원을 향유할 수 있다는 이상한 사상이 오늘날 일부 사람들에게 퍼져 있다. 그러한 모순적인 관념은 신약에서 찾아볼 수 없다. "예수님은 주님이시다"는 그리스도인의 신조로 처음부터 알려진 문구이다. 로마 제국이 시민들에게 "시저는 주님이다"라고 말하도록 강요하던 시대에는, "예수님은 주님이시다"라는 말은 위험한 발언이었다.

그러나 그리스도인들은 두려워 물러서지 않았다. 그들은 시저에게 제일의 충성을 맹세할 수 없었다. 그것은 이미 그들의 황제인 예수님에게 충성을 바쳤기 때문이다. 하나님께서는 아들 예수님을 모든 주권과 권세보다 높이시고 모든 신분보다 뛰어나게 하셨다. 그리하여 "모든 무릎을 예수의 이름에 꿇게 하시고 모든 입으로 예수 그리스도를 주라 시인"하게 하셨다(빌 2:10-11).

그리스도를 주로 삼는다는 것은 모든 공적 및 사적인 삶을 그리스도의 지배하에 두는 것을 의미한다. 여기에는 우리의 직업도 포함된다. 하나님께서는 모든 사람의 삶을 향해 목적을 가지고 계신다. 우리는 그것을 찾아서 실행해야 한다. 하나님의 계획은 우리 부모님의 계획이나 우리 자신의 계획과는 다를 수 있다. 현명한 그리스도인이라면 무모하거나 성급한 일을 행하지 않을 것이다. 그는 하나님께서 원하시는 일을 이미 시작했거나 준비 중일 수 있고 혹은 그렇지 않을 수도 있다. 그리스도께서 우리의 주님이라면, 반드시 마음을 열어 변화할 수 있도록 준비해야 한다.

분명한 사실은, 하나님께서 모든 그리스도인들을 "사역", 즉 그리스도를 위하여 다른 사람의 종이 되어 섬기는 일로 부르셨다는 것이다. 그리스도인이라면 더 이상 자신을 위하여 살 수 없을 것이다. 하지만 이 사역이 어떠한 형태인지는 불확실하다. 교회에서 안수를 받고 섬기는 사역일 수도 있고, 국내나 국외에서 전임 선교사역을 하는 것일 수도 있다. 그러나 헌신한 모든 그리스도인이 이런 부르심을 받는다고 생각하면 큰 오산이다.

"기독교 사역"과 맞먹을 만큼 중요한 일들이 많다. 예를 들어서 대부분의 여자들은 아내와 어머니 그리고 가정 주부로 부르심을 받는데, 이것도 엄밀한 의미에서 "기독교 사역"이라 할 수 있다. 그리스도와 그 가족 그리고 사회를 섬기고 있기 때문이다. 따라서 일하는 사람이 사람을 섬기는 가운데 하나님의 일에 기여하고 있다

"그리스도를 주로 삼는다"는 것은

직업, 결혼과 가정, 돈과 시간까지 그리스도의 지배하에 두는 것이다.

고 여기는 모든 종류의 일—의학, 연구, 법률, 교육, 사회 사업, 공무원, 공업체, 사업, 상업 등—은 하나님의 사역이다.

자신의 삶을 향한 하나님의 뜻을 찾으려고 지나치게 서두르지 말아야 한다. 만일 하나님의 뜻에 굴복할 자세를 갖추고 기다린다면, 하나님의 때에 보여 주실 것이다. 하나님의 뜻이 무엇으로 나타나든지, 그리스도인은 태만해서는 안 된다. 고용주이든 피고용인이든 또는 자영인이든 누구나 하늘의 주인을 모시고 있다. 그러므로 자신의 일 속에서 하나님의 목적을 찾아 마음을 다해 행하여야 한다. "무슨 일을 하든지 마음을 다하여 주께 하듯 하고 사람에게 하듯 하지 말라"(골 3:23).

예수 그리스도를 주님으로 모셔야 하는 삶의 영역이 또 있는데, 바로 결혼과 가정이다. 예수님은 이렇게 말씀하신 적이 있다. "내가 세상에 화평을 주러 온 줄로 생각지 말라 화평이 아니요 검을 주러 왔노라"(마 10:34). 그리고 계속해서 예수님은 가족 중 한 사람이 예수님을 따르기 시작했을 때 생기는 충성의 대상으로 인한 마찰을 이야기하셨다.

이러한 갈등은 오늘날에도 일어나고 있다. 그리스도인은 결코 이런 마찰을 의도적으로 일으켜서는 안 된다. 부모와 가족을 사랑하고 존경하는 것은 명백한 의무이다. 그리나 그리스도께서 하신 말씀 역시 잊어서는 안 된다. "아비나 어미를 나보다 더 사랑하는 자는 내게 합당치 아니하고 아들이나 딸을 나보다 더 사랑하는 자도 내게 합당치 아니하고"(마 10:37).

또한 그리스도인은 오직 그리스도인과 결혼할 수 있다. 성경은 이것에 대해 단호하다. "너희는 믿지 않는 자와 멍에를 같이하지 말라"(고후 6:14). 이 명령은 이미 결혼한 사람이나 이제 그렇게 하려는 사람에게 큰 근심이 될 수 있다. 그러나 사실은 정직하게 대면해야 한다. 결혼이란 단순히 편리한 사회적 관습 이상의 의미를 가지고 있다. 결혼은 하나님께서 정하신 제도이다. 따라서 결혼은 인간이 맺을 수 있는 가장 깊은 관계이다.

하나님께서는 결혼을 육체적, 감정적, 지적, 사회적 연합뿐만 아니라 영적으로까지의 긴밀한 연합으로 고안하셨다. 따라서 어떤 그리스도인이 영적으로 하나될 수 없는 사람과 결혼하는 것은, 하나님께 불순종하는 것일 뿐만 아니라, 하나님께서 뜻하신 연합의 충만함을 잃게 만든다. 또한 이 결혼으로 낳은 자녀들까지 위험에 처하게 된다. 불신자와의 결혼 생활은 종교로 인한 분쟁을 낳고, 아이들이 양쪽 부모로부터 받아야 할 신앙 교육을 불가능하게 하기 때문이다.

실제로 그리스도인의 회심은 매우 철저한 것이므로 결혼과 이성 관계에 대한 모든 태도가 변화되기 마련이다. 따라서 성적 특질-남자와 여자의 근본적인 차이점 및 서로에 대한 필요-을 하나님께서 창조하신 것으로 볼 수 있게 된다. 그리하여 성-성적 특질의 육체적 표현-의 이기적이고 무책임한 행동으로 인하여 우발적이고 비인격적인 것으로 타락하지 않는다. 오히려 창조주께서 본래 의도하셨던 것-선함과 의로움, 사랑의 표현, 하나님의 목적과 인간 인격의 성취-이 된다.

삶을 예수 그리스도께 의탁할 때 그리스도께서 주인이 되시는 사적 영역들 가운데에는 돈과 시간도 있다. 예수님은 자주 돈과 부의 위험에 대해 이야기하셨다. 이것에 관한 주님의 가르치심은 대부분 당황스럽다. 때로는 예수님이 재산을 팔아서 모두 나누어 주라고 하시는 것같이 보인다. 오늘날에도 주님을 따르는 자들에게 그렇게 행하라고 하시는 것은 의심의 여지가 없다.

그러나 이 명령이 대부분의 사람들에게 요구하는 것은, 문자 그대로 재산을 버리라는 것이 아니라 마음의 애착을 버리라는 것이다. 신약성경은 소유 자체가 죄라고 하지는 않는다. 분명히 그리스도께서 의미하신 것은, 우리가 가족 관계보다 그리스도를 위에 두어야 하는 것처럼 물질적 부에서도 그리스도를 위에 두라는 것이다. 하나님과 재물을 동시에 섬길 수는 없다.

우리는 돈을 성실하게 사용해야 한다. 돈은 결코 우리의 것이 아니다. 우리는 하나님께 돈을 위탁받아 관리하는 청지기일 뿐이다. 빈부의 격차가 전세계에 걸쳐 심화되고 있고 선교 사업이 자금 부족으로 인해 어려움을 겪고 있는 오늘날, 마땅히 나누어 주는 일에 관대하고 훈련되어 있어야 할 것이다.

오늘날에는 시간도 모든 사람들에게 문제가 되고 있는 부분이다. 이제 믿기 시작한 그리스도인은 반드시 우선순위를 재조정해야 한다. 만일 학생이라면 공부하는 일이 우선순위에서 앞부분을 차지할 것이다. 그리스도인은 근면하고 정직한 사람으로 알려져야 한다. 그러나 새로운 일에도 시간을 드려야 한다. 아무리 바쁜 일정이라도 시간을 쪼개서 기도와 성경 읽기에 드려야 하며, 또 일요일은 예배와 안식을 위해 제정된 주님의 날(주일)로 떼어 두어야 하고, 교회와 지역 사회를 위한 봉사에도 시간을 드려야 한다.

죄와 자기를 버리고 그리스도를 따르려면, 이 모든 일이 뒤따라야 한다.

그리스도를 시인하라는 부르심

우리는 개인적으로 그리스도를 따르라는 명령뿐만 아니라, 공적으로 그리스도를 시인하라는 명령도 받는다. 자신을 은밀하게 부인한다 해도 공개적으로 그리스도를 부인한다면 충분하지 못하다. 주님은 이렇게 말씀하셨다.

"누구든지 이 음란하고 죄 많은 세대에서 나와 내 말을 부끄러워하면 인자도 아버지의 영광으로 거룩한 천사들과 함께 올 때에 그 사람을 부끄러워하리라." 막 8:38

"누구든지 사람 앞에서 나를 시인하면 나도 하늘에 계신 내 아버지 앞에서 저를 시인할 것이요 누구든지 사람 앞에서 나를 부인하면 나도 하늘에 계신 내 아버지 앞에서 저를 부인하리라." 마 10:32-33

예수님이 부끄러워하지 말라고 말씀하셨다는 사실은 우리가 부끄러워하게 될 가능성이 있음을 알고 계셨다는 말이 된다. 또 "이 음란하고 죄 많은 세대에서"라고 하신 말씀은 우리가 주님을 부끄러워하게 되는 이유도 알고 계셨음을 보여 준다. 예수님은 그의 교회가 세상에서 소수인의 운동이 될 것을 미리 알고 계셨음이 분명하다. 특히 그 소수가 인기가 없고 또 당신이 저절로 마음이 끌리지 않을 경우, 다수를 저버리고 소수 편에 서려면 용기가 필요하다는 것도 알고 계셨다.

그러나 그리스도를 공개적으로 시인하는 것을 회피해서는 안 된다. 바울은 공개적인 시인이 구원의 조건이라고 선포했다. "사람이 마음으로 믿어 의에 이르고 입으로 시인하여 구원에 이르느니라"

(롬 10:10). 어쩌면 바울 사도는 세례에 관해 말하고 있었을지도 모른다. 회심한 사람이 전에 세례받은 적이 없다면 반드시 세례를 받아야 한다. 그것은 한편으로는 물을 통해 내적으로 깨끗하게 되고 그리스도 안에서 새 생명을 얻었다는 가시적인 표와 확증을 얻는 것이고, 다른 한편으로는 예수 그리스도를 구주와 주님으로 신뢰한다는 것을 공적으로 시인하는 것이기도 하다.

하지만 그리스도인의 공개적인 시인은 세례로 끝나지 않는다. 그리스도인은 자진하여 가족과 친구들에게 자신이 그리스도인임을 알려야 한다. 특히 삶을 통해 알리는 것이 중요하다. 그렇게 하면 머지않아 말로 증거할 수 있는 기회가 올 것이다. 이때는 정직하고 겸손하면서도 그 사람의 사생활을 침범하지 않도록 지혜롭게 증거해야 한다. 또한 그리스도인은 교회에 출석해야 하고, 학교나 직장 내의 다른 그리스도인과 교제해야 한다. 도전받았을 때에는 자신이 그리스도인으로 살기로 했다는 사실을 두려워 말고 시인해야 하며, 또한 기도와 본과 간증을 통해 친구들을 그리스도께로 인도하기 시작해야 한다.

순종하게 하는 동기

예수님의 요구는 힘든 것이다. 그러나 예수님이 제시하시는 이유를 들으면 따르지 않을 수 없다. 주님의 요구에 전적으로 굴복할 것을 신중히 고려하려면 강력한 동기가 필요하다.

첫 번째 동기는 자기 자신이다

"누구든지 제 목숨을 구원코자 하면 잃을 것이요 누구든지 나와 복음을 위하여 제 목숨을 잃으면 구원하리라 사람이 만일 온 천하를 얻고도 제 목숨을 잃으면 무엇이 유익하리요 사람이 무엇을 주고 제 목숨을 바꾸겠느냐."막 8:35-37

많은 사람들이 예수 그리스도께 의탁하면 손해를 보게 될 것이라는 두려움을 마음 깊숙한 곳에 가지고 있다. 그들은 예수님이 세상에 오신 것이 우리로 "생명을 얻게 하고 더 풍성히 얻게 하려는"(요 10:10) 것이므로, 우리를 가난하게 하는 것이 아니라 부요하게 하고 완전한 자유를 주는 것이라는 사실을 잊고 있는 것이다.

물론 그리스도께 굴복할 때 손해를 보는 것이 있기는 하다. 앞에서 우리의 죄와 자기 중심성을 버려야 한다는 것을 살펴보았다. 또한 일부 친구들을 잃을 수도 있다. 그러나 주님을 의지할 때 얻는 풍성하고 만족스러운 보상은 잃는 것보다 훨씬 크다.

그리스도의 가르침과 그리스도인의 경험은 놀랄 만큼 역설적이다. "만일 그리스도를 따르기 위해 자기를 잃으면 실제로는 자신을 얻는다." 진정한 자기 부인은 진정한 자기 발견이다. 자신을 위해 사는 것은 어리석은 짓이요, 자살 행위다. 하나님과 다른 사람을 위해 사는 것이 지혜요, 생명이다. 그리스도와 다른 사람들을 섬기기 위해 기꺼이 자기를 잃을 때에야 비로소 자기를 발견하게 된다.

이 진리를 강조하기 위해 예수님은 온 천하와 개인의 목숨을 대비시키셨다. 그런 다음에 이익과 손해에 대한 상거래적인 질문을 하셨다. 그는 만일 온 천하를 얻고 자신을 잃는다면, 무슨 이익이 있겠는가 하고 물으신다. 또 자신의 유익이라는 가장 낮은 차원에서 볼 때도 그리스도를 따르는 것이 가장 이익이 많은 거래라는 것을 주장하신다. 그리스도를 따르면 자신을 얻는 데 반해, 자신을 붙들고 그리스도 따르기를 거부할 때는 물질적 이익을 얻는다 해도 결국은 자신(목숨)을 잃고 영원한 복을 상실하기 때문이다.

왜 그럴까? 첫째로 우리는 온 천하를 얻으려 해도 얻을 수 없으며, 둘째로 혹시 얻는다 해도 순간일 것이고, 셋째로는 얻어 소유하고 있는 동안에도 만족이 없기 때문이다.

"사람이 무엇을 주고 제 목숨을 바꾸겠느냐."

목숨과 교환할 수 있을 만큼 귀한 것은 없다. 물론 그리스도인이 되는 데는 손해가 있을 수 있다. 그러나 그리스도인이 되지 않는 데 따르는 손해는 더 크다. 바로 자기 목숨을 잃는 것이기 때문이다.

두 번째 동기는 다른 사람들이다

우리는 얻을 것을 위해서 뿐만 아니라 줄 수 있는 것을 위해서도 그리스도께 복종해야 한다.

"누구든지 나와 복음을 위하여 제 목숨을 잃으면 구원하리라."

"복음을 위하여"란 말은 "다른 사람들에게 복음을 전파하기 위하여"라는 말이다. 앞에서 그리스도나 그의 말씀을 부끄러워해서는 안 된다고 했다. 이제 우리는 그리스도를 자랑스럽게 여기고 그의 좋은 소식을 다른 사람들에게 전하고 싶어해야 한다.

우리들 대부분은 혼란한 세상의 가슴 아픈 비극들 때문에 고통당하고 있다. 자신이 살아남을 수 있을지도 의문스러울 정도이다. 평범한 시민들은 종종 자신이 복잡한 정치 분쟁의 가엾은 희생자, 또는 현대 사회라는 기계의 이름 없는 부속품에 지나지 않음을 느끼고 있다. 그러나 그리스도인은 이러한 무력감에 굴복하지 않아도 된다. 예수 그리스도께서 자신을 따르는 자들은 "세상의 소금"과 "세상의 빛"이라고 하셨기 때문이다.

저장하기 전에 소금을 치는 것은 주로 소극적인 목적–부패 방지–을 위한 것이다. 따라서 그리스도인은 도덕 기준이 유지되게 하고 여론에 영향을 주며 올바른 법 제도를 확립하도록 도움을 주어 사회가 타락하지 않도록 해야 한다.

또한 그리스도인은 세상의 빛으로서 자신의 빛을 비추어야 한다. 그리스도인은 예수 그리스도 안에서 평화와 사랑의 비밀, 인간관계의 비밀, 그리고 사람을 변화시키는 비밀을 발견했다. 그러므로 이 비밀을 다른 사람들과 나누어야 한다. 어떤 사람에게든 세상의 필요를 채워 줄 수 있는 가장 좋은 길은, 그리스도인의 삶을 살며 그리스도인의 가정을 꾸미고 예수 그리스도의 복음의 빛을 발하는 것이다.

가장 큰 동기는 예수 그리스도이다

"누구든지 나와 복음을 위하여 제 목숨을 잃으면 구원하리라."

특히 어려운 일을 해달라는 요청을 받았을 때, 요청하는 사람이 누군가에 따라 크게 좌우된다. 만약 우리에 대해 정당한 권리를 가지고 있는 사람이나 우리가 은혜를 입은 사람이라면 우리는 기꺼이 동의할 것이다. 그리스도의 호소가 그토록 감동적이고 설득력 있는 이유가 바로 이 때문이다. 그리스도께서는 그리스도를 위하여 자신을 부인하고 그를 따르라고 요구하신다.

그가 자기 부정을 "십자가를 지는 것"으로 묘사하신 이유가 바로 여기에 있다. 그는 주신 것만큼 요구하신다. 그는 십자가를 지셨으므로 십자가를 요구하신다. 우리는 우리가 얻을 수 있는 것이나 줄 수 있는 것만을 위해 그리스도를 따를 것이 아니라, 무엇보다도 그가 주신 것 때문에 그리스도를 따라야 한다.

그리스도께서는 자신을 주셨다. 그것이 우리에게 많은 것을 요구하는가? 그러나 그리스도께는 더 많은 것이 요구되었다. 그리스도께서는 세상에 오실 때 아버지의 영광과 천국의 특권, 그리고 무수한 천사들의 예배를 버리셔야 했다. 그는 자신을 낮추어 인간의 형체를 입으시고 마구간에서 태어나 구유에 뉘셨다. 또한 목수 일을 하셨고 투박한 어부들과 친구가 되셨으며 비천한 십자가에서 죽으사 세상 죄를 담당하셨다.

오직 그리스도의 십자가를 볼 때에만 자진하여 자기를 부인하고 그리스도를 따르게 된다. 우리의 작은 십자가는 그리스도의 십자가에 비하면 무색할 정도다. 만일 우리가 심판받아야 마땅한 우리를 위해 수치와 고통을 당하신 그의 사랑의 위대함을 한번만이라도 접하게 된다면, 우리가 행할 길은 오직 하나뿐임을 알게 될 것이다. 우리를 이처럼 사랑하시는 분을 어찌 부인하거나 거절할 수 있겠는가?

그러므로 당신이 도덕 상실증에 빠져 있다면 나의 충고를 받아들여 기독교 신앙을 포기하기 바란다. 만일 당신이 쉽게 쉽게 자기 멋대로의 삶을 살고 싶다면 할 수 있는 한 그리스도인이 되지 말라. 그러나 당신이 하나님께서 주신 본성에 진정으로 부합되는 자아 발견의 삶을 원한다면, 그리스도와 옆 사람을 섬기는 특권이 있는 모험의 삶을 원한다면, 당신을 위해 죽으신 분에 대해 느끼기 시작한 놀라운 감사를 표현할 수 있는 삶을 원한다면, 그때는 지체하지 말고 당신의 삶을 주님이시요, 구주이신 예수 그리스도께 넘겨 드리기를 바란다.

냉랭한 수세기를 지나도
주의 부르심은 분명합니다.
주님은 내게 명하십니다.
네 십자가를 지고 나를 따르라.

너를 버리고 너를 부인하며
너를 향해 모질게
"십자가에 못박으라"고 외치라.

나의 완악한 본성이 일어나
주의 부르심을 대적합니다.
오만한 지옥의 합창이 점점 커집니다.
끊임없이 얽매임을 싫어하도록
주의 부르심에 굴복하지 못하도록 합니다.

세상은 내 십자가를 보고
멈춰 서서 조롱합니다.
나를 구원하기 위해
잠잠히 참을 수밖에 없습니다.
멀리서 동방 박사보다 느리게
주님을 따라갑니다.
내겐 별이 없기 때문입니다.

그래도 주님은 여전히 나를 부르십니다.
주님의 십자가가
나의 십자가를 무색하게 하고
내가 주님께 오면 당하리라 생각했던

엄청난 손해를

무한한 이익으로 바꾸어 놓습니다.

십자가에 못박히신 예수님,

주님 앞에 무릎 꿇습니다.

나의 십자가를 지고 나를 부인합니다.

날마다, 가까이 따르렵니다.

거절하지 않으렵니다.

주님과 인간을 사랑하기 위하여

나를 버리기를.

10

결 정

그리스도인이 되기 위해서 결단을 내려야 한다는 생각은 대부분의 사람들에게 상당히 생소한 것이다.

어떤 사람들은 자신이 기독교 국가에서 태어났기 때문에 이미 그리스도인이 되었다고 생각한다. “우리는 유태교도도 아니고 회교도도 아니고 불교도도 아니다. 그렇다면 그리스도인이 아니겠는가?”

또 어떤 사람들은 자신이 기독교적 양육을 받았고 그리스도인의 신조와 행동 기준을 받아들이라는 교육을 받았으므로 더 이상 필요한 것이 없다고 생각한다.

하지만 출신 배경과 교육이 어떠한 것이든, 책임을 감당할 수 있는 모든 성인은 그리스도를 받아들이거나 거부하는 결정을 해야 한다. 이것도 저것도 아닌 중간 상태에서 머물 수는 없다. 자신도 모르게 기독교로 빠져들 수도 없다. 또 어떤 누구도 그 문제를 대신 해결해 줄 수 없다. 반드시 스스로 결정해야 한다.

이제까지 살펴본 내용에 동의한 것으로도 충분하지 못하다. 우리는 예수님의 신성에 대한 증거가 믿지 않을 수 없으며 확정적이라는 데 동의할 수 있다. 또 예수님이 진정으로 하나님의 아들이라는 데 동의할 수도 있다. 또한 그가 세상에 와서 죽으셔서 세상의 구주가 되셨음을 믿을 수도 있으며, 우리는 죄인으로서 그런 구주가 필요함을 인정할 수도 있다.

그러나 이들 중 어느 하나도 우리를 그리스도인으로 만들 수 없고, 이것들을 다 합해도 역시 불가능하다. 그리스도와 그리스도께서 하신 일에 대한 어떤 사실을 믿는 것은 필요한 준비 단계이기는 하다. 그러나 진정한 믿음이란 이러한 지적 믿음을 신뢰의 단호한 행동으로 옮기는 것을 의미한다. 지적인 확신이 인격적인 의탁으로 바뀌어야 하는 것이다.

나는 한때 예수님이 십자가에서 죽으셨기 때문에 다분히 기계적인 어떤 결정에 의해 온 세상이 하나님 앞에서 의롭다 하심을 입게 될 것으로 생각했다. 그래서 내가 그리스도와 그의 구원을 스스로 받아들여야 한다는 것을 처음 들었을 때 당황하였고 심지어 분개하기까지 했다. 그러나 후에 하나님께서는 내가 구주를 필요로 함을 인정하고 또 내가 필요로 하는 그 구주가 예수 그리스도이심을 인정하는 일 이상의 것을 해야 한다고 알려 주셨다. 이는 그리스도를 나의 구주로 영접하는 데 꼭 필요한 일이었다.

'나' 라는 인칭 대명사는 성경에서 중요한 의미를 지닌다.

"여호와는 나의 목자시니 내가 부족함이 없으리로다."시 23:1

"여호와는 나의 빛이요 나의 구원이시니."시 27:1

"하나님이여 주는 나의 하나님이시라."시 63:1

"내 주 그리스도 예수를 아는 지식이 가장 고상함을 인함이라."빌 3:8

우리가 반드시 밟아야 할 믿음의 단계들을 이해하도록 많은 사람들(나도 포함된다.)을 도와준 성경 구절이 있다.

"볼지어다 내가 문 밖에 서서 두드리노니 누구든지 내 음성을 듣고 문을 열면 내가 그에게로 들어가 그로 더불어 먹고 그는 나로 더불어 먹으리라."계 3:20

이 성구는 영국의 화가 헌트가 1853년에 그린 유명한 그림 "세상의 빛"에서 잘 형상화되었다. 이 작품의 원화는 옥스퍼드 케블 대학내에 있는 예배당에 걸려 있고, 그 모사화는(40년 후 헌트 자신이 그렸다.) 성 바울 성당에 있다. 라파엘 이전 화풍은 오늘날 구식이 되어 버렸지만, 이 그림이 상징하는 것은 아직도 큰 교훈을 주고 있다. 존 러스킨은 1854년 5월 더 타임즈에 보낸 편지에 이 그림을 다음과 같이 설명했다.

> ……그림의 왼편에는 사람의 영혼의 문이 보입니다. 문은 단단히 잠겨 있고, 문빗장과 못은 녹이 슬어 있습니다. 또한 무성한 담쟁이 덩굴로 문기둥이 뒤덮여 있어서 한번도 열린 적이 없음을 보여 줍니다. 박쥐가 문 주위를 날고 있고, 문지방에는 가시덤불과 쐐기풀, 잡초들이 우거져 있습니다. ……그리스도께서 밤에 그 문에 다가가십니다.

그리스도께서는 왕의 옷을 입고 가시 면류관을 쓰셨으며, 왼손에는 (세상의 빛인) 등불을 들고 오른손으로는 문을 두드리고 계신다.

이 구절의 앞뒤 문맥을 보면 의미가 쉽게 이해된다. 이 구절은 그리스도께서 사도 요한을 통하여 라오디게아 교회(현재 위치는 터키)에 보낸 편지의 말미에 나와 있다. 라오디게아는 번창한 도시로, 직물 산업과 브루기아 가루 안약으로 유명한 의학교와 부유한 은행들로 널리 알려져 있었다.

이 도시의 물질적 풍요는 자기 만족을 낳았고, 드디어는 이런 정신 자세가 교회에까지 침투했다. 교회에는 신앙을 고백하는 그리스도인들이 있긴 했지만 이름만 그리스도인일 뿐이었다. 그들은 상당히 존경할 만한 사람들이었으나 그 이상은 아무것도 아니었다. 그들의 신앙에 대한 관심은 얕고 일시적인 것이었다. 그들은 수도관을 통해 라오디게아로 들어오는 히에라폴리스의 온천수같이(그 유적은 지금도 남아 있다) 차지도 뜨겁지도 않고 뜨뜻미지근했다. 그

헌트의 "세상의 빛"

래서 예수님은 혐오스러웠다. 그들의 영적 미지근함은 자기 기만으로 설명되어 있다. "네가 말하기를 나는 부자라 부요하여 부족한 것이 없다 하나 네 곤고한 것과 가련한 것과 가난한 것과 눈먼 것과 벌거벗은 것을 알지 못하도다"(계 3:17).

교만하고 부요한 라오디게아를 얼마나 잘 묘사하고 있는가! 그들은 눈멀고 벌거벗은 거지들이었다. 그들은 직물 공장이 많음에도 불구하고 벌거벗었고, 브루기아 안약이 있었어도 눈이 멀었으며, 수많은 은행이 있었어도 거지였던 것이다.

오늘날을 사는 우리도 전혀 다를 바 없다. 어쩌면 우리도 그들처럼 "나는 부족한 것이 없다."고 할지 모른다. 영적으로 이 말보다 더 위험한 말은 찾기 힘들 것이다. 이것은 자기 충족적 독립심으로, 어느 것보다도 그리스도께 의탁하지 못하도록 방해한다.

우리에게 그리스도가 필요하다는 것은 의심할 여지가 없다. 그리스도가 없으면 우리는 도덕적으로 벌거벗게 되며(하나님 앞에서 입을 옷이 없으므로), 영적 진리에 대해 눈이 멀게 되고, 하나님의 은총을 살 돈이 없는 거지가 된다. 그러나 그리스도께서는 우리를 자신의 의로 옷 입히시고, 우리의 눈을 만져 보게 하시며, 영적인 부로 우리를 부요하게 하실 수 있다. 그러므로 우리가 마음 문을 열어 그를 모셔들이기 전까지, 우리는 눈멀고 벌거벗은 거지에 불과하다.

"볼지어다 내가 문 밖에 서서 두드리노니"라고 주님은 말씀하신다. 그는 종교 소설에 나오는 가공 인물도, 상상 속의 존재도 아니다. 그는 나사렛 예수로, 그의 주장과 인격 그리고 부활이 그가 하나님의 아들이시라는 결론을 확증한다. 그는 또한 십자가에 못박히신 구주이다. 문을 두드리는 손에는 상처 자국이 있고 문 앞에 선 그 발에는 못자국이 있다.

그는 부활하신 그리스도이시다. 요한은 일찍이 요한계시록 첫장에서 환상 가운데 본 그리스도를 묘사했다. 그의 눈은 불꽃 같았고 그의 발은 풀무에 단련한 빛나는 주석 같았다. 그의 음성은 많은 물소리와 같았으며 그의 얼굴은 해가 힘있게 비취는 것 같았다. 요한이 엎드린 것은 당연했다. 그처럼 높으신 분이 어떻게 자신을 낮추어 우리같이 가난하고 눈멀고 벌거벗은 거지를 찾아 주셨는가를 이해하기란 어렵다.

하여튼 예수 그리스도께서는 우리의 문 밖에 서서 문을 두드리며 기다리고 계신다. 그리스도께서 문을 밀고 들어오지 않고 두드리고 계신다는 사실과, 외치지 않고 말씀하고 계신다는 사실을 주목하라. 특히 그 집은 어느 모로 보나 그리스도의 것임을 생각해 보면 더욱 의미가 깊다.

그리스도께서는 그 집을 설계하고 지으셨다. 또한 그는 그 집의 소유주이시다. 자신의 피로 사셨기 때문이다. 결국 그리스도께서는 계획하고 건축하고 매입한 권리로 인해 분명 집의 주인이 되신다. 우리는 그 집에 세들어 사는 사람에 불과하다.

그는 문을 밀치고 들어오실 수 있었다. 그런데도 문을 두드리기를 더 좋아하신다. 그는 우리에게 문을 열라고 명령하실 수 있지만, 그렇게 하라고 권유하기만 하신다. 그리스도께서는 강제로 어떤 사람의 삶에 들어오시지 않는다. 단지 "내가 너를 권하노니"(계 3:18)라고 말씀하실 뿐이다. 충고하는 것으로 만족하신다. 이것이 그리스도의 겸양이요 겸손이다. 그리고 자유를 우리에게 주셨다.

그렇다면 예수 그리스도께서 우리 안에 들어오시려 하는 이유는 무엇인가? 그 답은 이미 이야기했다. 그는 우리의 구주와 주님이 되기를 원하신다.

예수님은 우리의 구주가 되기 위해 죽으셨다. 만일 우리가 그를 영접하면, 그는 그의 죽음으로 인한 모든 혜택을 개인적으로 우리에게 주실 수 있다. 만일 우리 집 안에 들어오시면 그는 우리 집을 고치시고 다시 장식하시고 새로운 가구를 들여놓으실 것이다. 다시 말해서 우리를 깨끗하게 하시고 용서하실 것이다. 우리의 과거는 깨끗이 씻겨 사라질 것이다.

또한 그는 그가 우리와 함께 먹고 우리는 그와 함께 먹을 것이라고 약속하셨다. 이 말은 우리가 그와 함께함으로 얻을 기쁨을 설명한다. 주님과 우리는 서로 남남이었다. 그러나 이제는 친구이다. 전에는 주님과 우리 사이에 닫힌 문이 있었다. 그러나 이제는 같이 식

탁에 앉아 먹는 사이인 것이다.

또한 예수 그리스도께서는 우리의 주와 주인으로 들어오실 것이다. 우리의 삶이라는 집은 그리스도의 관리하에 들어가게 될 것이다. 따라서 우리가 기꺼이 원하지 않으면 문을 여는 것이 의미가 없다. 그리스도께서 문지방을 넘어 들어오시면, 우리는 반드시 열쇠 뭉치를 모두 넘겨 드려서 그리스도께서 자유롭게 모든 방에 들어가실 수 있게 해드려야 한다. 캐나다의 어느 대학생이 이런 편지를 보냈었다. "저는 그리스도께 많은 방의 각기 다른 열쇠 뭉치를 드리는 대신 모든 방을 열 수 있는 마스터 키를 드렸습니다."

이렇게 하는 과정에는 그리스도께 기쁨이 되지 못하는 모든 일에서 단호하게 돌아서는 회개가 있어야 한다. 그러나 이것이 그리스도를 모셔들이기 전에 자신을 깨끗하게 만들어 놓아야 한다는 의미는 아니다. 그와는 정반대로 우리가 스스로 죄 사함을 얻을 수 없고 스스로 개선할 수 없기 때문에 그리스도를 모셔들여야 한다는 것이다. 그러나 그리스도께서 들어오셨을 때는 그가 어떤 것을 재정리하기 원하시든지 기꺼이 따라야 한다. 반항이 있어서도 안 되고 적당하게 타협하려 해서도 안 된다. 오히려 그리스도의 주님 되심에 무조건 굴복해야 한다. 이것은 무엇을 의미하는가? 세세히 설명할 수는 없다. 원칙론적으로 말하자면, 악을 버리고 그리스도를 따르라는 것이다.

혹시 주저하고 있는가? 어둠 속에서 그리스도께 굴복하는 것이 합리적이지 못하다고 생각하는가? 결코 그렇지 않다. 이것은 결혼

보다 더 합리적이다. 결혼할 때 남자와 여자는 조건 없이 서로에게 자신을 의탁한다. 그들은 미래가 어떻게 될지 알지 못한다. 그런데도 그들은 서로 사랑하고 서로 신뢰한다. 그들은 서로를 남편과 아내로 맞아들여 "오늘부터 좋을 때나 나쁠 때, 부할 때나 가난할 때, 병들었을 때나 건강할 때를 가리지 않고 죽음이 두 사람을 갈라놓을 때까지 늘 사랑하고 아껴 줄 것을" 서약한다. 사람이 사람을 이렇게 신뢰할 수 있다면 어찌 하나님을 신뢰할 수 없겠는가? 하나님이신 그리스도께 자신을 의탁하는 것이, 제아무리 훌륭하고 고귀한 인간이라 하더라도 그를 의뢰하는 것보다 합리적이다. 그리스도께서는 결코 우리의 신뢰를 저버리거나 악용하지 않으신다.

그러면 우리는 어떻게 해야 하는가?

먼저 우리는 그의 음성을 들어야 한다. 비극적인 일이지만, 그리스도께 대해 귀를 막고 그의 간절한 호소를 묵살해 버리는 일이 가능하다. 때때로 우리는 양심의 가책을 통해서 그의 음성을 듣는다. 때로는 지적인 탐색을 통해 듣기도 한다. 또는 도덕적으로 패배했을 때나 삶이 공허하고 무의미하게 여겨질 때, 설명할 수 없는 영적 굶주림, 질병, 사별, 고통, 두려움 등이 닥칠 때 우리는 그리스도께서 문 밖에 서서 우리에게 말씀하고 계심을 깨닫게 된다. 주님의 부르시는 음성은 또한 친구나 설교자, 또는 책을 통해 들릴 수도 있다. 음성이 들릴 때는 언제든지 주의를 기울여 들어야 한다. 예수님은 "들을 귀 있는 자는 들을지어다"라고 말씀하신다.

다음에 우리가 해야 할 일은 문을 여는 것이다. 그리스도의 음성을 들었으면 그의 두드리심에 응답하여 문을 열어야 한다. 예수 그리스도께 문을 열어 드리는 것은, 그를 우리의 구주로 믿는 믿음의 행위와 그를 우리의 주님으로 여겨 복종하는 복종의 행위를 표현하는 회화적 방법이다.

문을 여는 것은 분명한 행동이다. 여기에 사용된 헬라어 동사의 시제가 이 사실을 분명히 밝혀준다. 이 문은 우연히 열리지 않는다. 이미 열려 있는 것도 아니다. 문은 닫혀 있으므로 열어야 한다. 더군다나 그리스도께서 직접 문을 여시지는 않는다. 헌트의 그림에는 손잡이도 문고리도 없다. 헌트가 의도적으로 그것들을 그리지 않음으로써 손잡이가 안에 있음을 보여 주려 했다고 이야기들을 한다. 그리스도께서 문을 두드리신다. 그러나 문은 우리가 열어야 한다.

문을 여는 것은 개인적인 행동이다. 이 메시지가 교회, 즉 이름뿐이고 뜨뜻미지근한 라오디게아 교회에 보내진 것은 사실이다. 그러나 그 도전은 교회 안에 있는 각 개인들을 대상으로 한다. "누구든지 내 음성을 듣고 문을 열면 내가 그에게로 들어가……." 각 사람은 자기 스스로 결정하고 스스로 이 단계를 거쳐야 한다. 다른 누구도 이 일을 대신해 줄 수 없다. 믿음을 가진 부모님과 선생님, 목사님, 친구들이 그 길을 가르쳐 줄 수는 있다. 그러나 문빗장을 뽑고 손잡이를 돌릴 수 있는 것은 당신의 손, 즉 당신 자신밖에 없다.

문을 여는 것은 단 한 번만 하는 행동이다. 당신은 이 단계를 단

한 번만 할 수 있다. 그리스도께서는 들어오신 다음에 문을 안에서 걸어 잠그실 것이다. 죄가 그리스도를 다락방이나 지하실로 몰아넣는다 해도 그는 자신이 들어온 집을 결코 포기하지 않으실 것이다. "내가 과연 너희를 버리지 아니하고 과연 너희를 떠나지 아니하리라"(히 13:5)고 그리스도께서는 말씀하신다.

이것은 당신이 이 경험을 함으로써 완전한 천사의 날개를 가진 사람으로 나타난다는 것이 아니다. 또한 당신이 눈깜짝할 사이에 완전해질 것이라는 말도 아니다. 일순간에 그리스도인이 될 수는 있다. 그러나 성숙한 그리스도인은 일순간에 될 수 없다. 그리스도께서는 순식간에 당신 안에 들어오셔서 깨끗하게 하시고 죄를 용서받게 해주실 수 있다. 그러나 당신의 인격이 변화되어 그리스도의 뜻대로 만들어지려면 훨씬 더 많은 시간이 걸린다. 신랑과 신부가 결혼식을 올리는 데는 단 한 시간도 안 걸린다. 그러나 거칠고 다듬어지지 않은 그들의 가정생활에서 두 개의 강한 의지가 꼭 들어맞아서 하나로 되는 데는 수많은 세월이 요구된다. 마찬가지로 우리가 그리스도를 영접할 때 순간의 의탁이 일생에 걸친 적응으로 인도될 것이다.

문을 여는 것은 또한 의도적인 행동이다. 어떤 초자연적 섬광이 하늘에서 비취거나 어떤 감동적인 체험이 당신을 사로잡기를 기대하지 말라. 결코 그렇지 않기 때문이다. 그리스도께서는 세상에 오셔서 당신의 죄를 위해 죽으셨다. 이제 그는 당신의 삶이라는 집의 문 밖에 오셔서 문을 두드리고 계신다. 다음 행동은 당신이 해야 한다. 그의 손은 이미 문을 두드리고 있다. 이제는 당신 스스로 문빗장을 벗겨야 한다.

문을 여는 것은 긴급하게 해야 할 행동이다. 열어야 하는 때가 지나도록 기다리지 말라. 시간은 흐른다. 미래는 불확실하다. 지금보다 더 좋은 기회를 가질 수 없게 될지 모른다. "너는 내일 일을 자랑하지 말라 하루 동안에 무슨 일이 날는지 네가 알 수 없음이니라" (잠 27:1). "그래서 성령님도 이렇게 말씀하십니다 '오늘 너희가 그의 음성을 듣거든 광야에서 시험할 당시 반역하던 때처럼 못된 고집을 부리지 말아라' " (히 3:7–8, 현대인의성경).

당신 자신을 그리스도께서 들어오시기에 더 좋게 또는 더 합당하게 만들 때까지, 또 당신 스스로 문제를 해결할 때까지 기다리지 말라. 예수 그리스도께서 하나님의 아들이시며 그가 당신의 구주가 되기 위해 죽으셨다는 것을 안다면 그것으로 충분하다. 그 나머지 일들은 때가 되면 이루어질 것이다. 경솔하고 조급한 행동이 위험한 것은 사실이다. 그러나 지체하는 것도 위험하다. 당신의 마음속 깊은 곳에서 당신이 행해야 한다는 것을 알게 되었다면, 조금도 지체해서는 안 된다.

문을 여는 것은 또 불가피한 행동이다. 물론 그리스도인의 생활에는 이것보다 훨씬 더 많은 것이 있다. 다음 장에서 보겠지만 교회의 교제에 참여하는 일, 하나님의 뜻을 찾아 행하는 일, 은혜와 지혜 안에서 성장하는 일, 하나님과 사람을 섬기는 일 등이 있다. 그러나 바로 이 단계가 그 시작이며, 다른 어느 것도 이를 대신할 수 없다.

당신은 지적으로 그리스도를 믿고 존경할 수 있다. 또 열쇠 구멍을 통해 기도를 드릴 수도 있다(나도 오랫동안 이렇게 했다). 문 밑으로 돈을 밀어 넣어 줄 수도 있다. 또 당신은 도덕적이고 고상하며 정직하고 선할 수도 있다. 종교 생활을 할 수도 있다. 세례를 받고 입교를 할 수도 있다. 종교 철학에 정통할 수도 있다. 신학생일 수도, 안수받은 목사일 수도 있다. 그러나 이 모든 것에도 불구하고, 아직 그리스도께 문을 열어 드리지 않았을 수 있다. 하지만 문을 여는 일은 그 어떤 것으로도 대체할 수 없다.

어떤 대학 교수는 자서전에서, 어느 날 버스 앞자리에 앉아 여행했을 때의 일을 썼다.

> 아무 말도 없고 거의 어떤 상도 없이 이상하게 나 자신에 대한 사실이 내게 제시되었다. 나는 내가 문에 무엇을 세워두고 있거나 아니면 문을 차단하고 있음을 발견했다. 어쩌면 나는 코르셋처럼 조이는 옷을 입거나 가재처럼 갑옷을 입고 있었던 것 같기도 하다. 어쨌든 그때 거기서 내게 자유롭게 선택할 권리가 주어진 것으로 느껴졌다. 나는 문을 열 수도 있고 닫을 수도 있었다. 어떤 것을 선택해야 할 의무는 없었다. 어느 것을 택하든지 거기에는 약속도 위협도 없었다. 하지만 문을 연다거나 옷을 벗는 일은 예상하기 힘든 것이었다. ……나는 문을 열고, 갑옷을 벗어 속박을 푸는 것을 선택하였다. '나는 선택했다.' 고 말했다. 그렇지만 그 반대를 택하는 일은 불가능하게 보였다.

이렇게 C. S. 루이스 교수는 자신의 체험을 예기치 못한 기쁨 *Suprised by Joy*에서 밝히고 있다.

어떤 높은 지위에 있는 부인이 전도 대회 마지막 시간에 빌리 그레이엄의 초청에 응하여 앞으로 나왔다. 그 부인은 상담자에게 인도되었고, 상담자는 부인이 아직 자신의 삶을 그리스도께 의탁하지 않은 것을 알고는 즉시 그 자리에서 주님께 기도할 것을 제안했다. 그러자 부인은 머리를 숙이고 기도했다. "사랑하는 주 예수님, 저는 주님께서 제 마음에 들어오시기를 세상의 그 무엇보다도 원합니다. 아멘."

10대 후반의 한 소년이 어느 일요일 밤, 학교 기숙사의 자기 방 침대 곁에서 무릎을 꿇었다. 그는 간단하고 사실적이면서도 명확하게 이제까지 자기의 삶은 엉망이었다고 그리스도께 말씀드렸다. 그리고 자신의 삶 속에 들어오시기를 요청했다. 그 다음날 그는 이렇게 일기를 썼다.

> 어제는 참으로 중대한 날이었다. ……이제까지 그리스도께서는 밖에 계셨었다. 나는 그리스도께 전적인 지배권을 드리는 대신 그저 나를 인도해 달라고만 구했었다. 보라, 그가 문 밖에 서서 두드리고 계신다. 나는 그의 음성을 들었고, 이제 그는 내 집 안으로 들어오셨다. 그는 내 집을 깨끗하게 하셨고, 이제는 내 집안에서 다스리신다…….

그 다음날 일기는 이렇다.

> 온종일 엄청나고 새로운 기쁨을 느꼈다. 그것은 세상과 평화하는 기쁨이요, 하나님과 교제하는 기쁨이다. 이제 내가 확실히 아는 것은 그가 나를 다스리고 계시다는 것과 이전에는 내가 그를 진정으로 몰랐다는 것이다…….

이것들은 바로 내 일기이다. 감히 내 일기를 인용한 것은, 내가 직접 실천하지 않은 일을 권하는 것같이 생각하지 않았으면 해서이다.

당신은 그리스도인인가? 참으로 삶을 의탁한 그리스도인인가? 당신의 대답은 어떤 것과도 연관되어 있지 않다. 교회에 다니느냐 다니지 않느냐가 대답을 결정하지 못한다. 교리를 믿어도, 고상한 삶을 살아도, 이 질문의 답과는 상관이 없다. 여기에 대한 대답은 단 한 가지, "당신의 마음 문 밖과 안 어느 쪽에 예수 그리스도께서 계신가?"에 달려 있다. 이것이 가장 중요한 문제이다.

어쩌면 당신은 그리스도께 문을 열어 드릴 준비가 되어 있는지도 모르겠다. 전에 문을 열고 그리스도를 영접한 일이 있는 것 같기도 한데 확실히 모를 경우에는 다시 분명하게 할 것을 충고한다. 어떤 사람은 이것을, 연필로 써 놓은 위에 잉크로 분명하게 다시 쓰는 것과 같다고도 했다.

조용한 곳으로 가서 혼자 기도해 보라. 나의 죄를 하나님께 고백하고, 버리라. 예수 그리스도께서 나를 위해 나 대신 죽으셨음에 감사드리라. 그 다음, 문을 열고 그리스도께서 들어오셔서 나 개인의 구주와 주님이 되어 주시기를 요청하라.

다음 기도를 진심으로 드리기를 바란다.

> "주 예수님, 저는 이제까지 제 뜻대로 행했음을 인정합니다. 저는 생각과 말과 행위로 죄를 지었습니다. 제 죄를 뉘우칩니다. 회개하고 죄에서 돌이킵니다.
> 주께서는 저를 위해 죽으셔서 저의 죄를 담당하셨음을 제가 믿습니다. 그 크신 사랑에 감사드립니다.
> 이제 저의 마음 문을 엽니다. 주님 들어오십시오. 제 구주로 들어오셔서 저를 다스려 주십시오. 저는 평생 주께서 주시는 힘으로 섬기겠습니다. 아멘."

이 기도를 진정으로 드렸는가? 그렇다면 겸손히 감사하라. 그리스도께서 들어오셨다. 주님은 그렇게 하셨다고 약속하셨다. "누구든지 내 음성을 듣고 문을 열면 내가 그에게로 들어가……." 느낌을 의뢰하지 말고 주님의 약속을 신뢰하라. 그리고 주께서 자신의 말씀을 지키신 것에 감사드리라.

11

그리스도인의 삶

이 마지막 장은 자신의 삶의 문을 예수 그리스도께 열어 드린 사람들을 위해 쓴 것이다. 그들은 자신을 그리스도께 의탁함으로써 그리스도인의 삶을 시작하였다. 하지만 그리스도인이 되는 것과 그리스도인으로 사는 것은 별개의 문제이다. 이제 그리스도인으로 사는 것이 어떤 것인지 살펴보자.

당신은 그리스도를 영접하여 당신의 구주와 주님으로 삼는 간단한 절차를 밟았다. 그러나 그때, 기적이라는 말 외에는 달리 설명할 길이 없는 일이 일어났다. 하나님께서 당신에게 새로운 생명을 주신 것이다(사실 하나님의 은혜가 아니었더라면 당신은 회개할 수도, 믿을 수도 없었을 것이다). 당신은 거듭났다. 당신은 하나님의 자녀가 되었고 따라서 하나님의 가족이 되었다.

처음에는 당신이 육신의 부모에게서 태어날 때처럼 무슨 일이 일어났는지 몰랐을 수도 있다. 성격과 신분을 자각하는 것은 그 사람의 발달 과정에 속한다. 그럼에도 불구하고 당신이 세상에 태어났을 때 하나의 새롭고 독자적인 개인으로 나타났던 것처럼, 당신이 거듭났을 때도 영적으로 그리스도 안에서 새로운 피조물이 되었다.

그러나 하나님께서는 모든 사람의 아버지가 아닌가? 모든 사람은 하나님의 자녀가 아닌가? 그럴 수도 있고 아닐 수도 있다. 분명히 하나님께서는 모든 사람을 창조하신 분이다. 따라서 모든 사람이 존재하게 된 것이 하나님 때문이라는 의미에서 모든 사람은 하나님의 "소생"offspring, 후손이다(행 17:28 참조). 그러나 성경은 조물주 대 피조물로서의 하나님과 온 인류와의 일반 관계를, 예수 그리스도를 통해 새로운 피조물이 된 사람들과 하나님께서 맺으신 아버지와 아들이라는 특별한 관계와 분명하게 구분한다. 요한복음의 서두에서 요한은 이것을 설명하고 있다.

"(그가) 자기 땅에 오매 자기 백성이 영접지 아니하였으나 영접하는 자 곧 그 이름을 믿는 자들에게는 하나님의 자녀가 되는 권세를 주셨으니 이는……하나님께로서 난 자들이니라."요 1:11-13

여기에서 "영접하는 자", "그 이름을 믿는 자", "하나님께로서 난 자"는 모두 같은 사람이다. 하나님의 자녀는 하나님께로서 난 자이다. 그리고 하나님께로서 난 자는 그리스도를 자신의 삶에 영접한 자, 즉 그의 이름을 믿는 자이다.

하나님의 "자녀"가 되면 어떤 일이 일어날까? 어떤 가족의 구성원이 될 때 거기에는 특권과 책임이 따른다. 마찬가지로 하나님의 자녀가 될 때에도 특권과 책임이 뒤따른다. 이것들을 알아야 한다.

그리스도인의 특권

하나님의 자녀로 새로 태어난 사람의 독특한 특권은 그가 하나님과 관계를 맺고 있다는 것이다. 이 관계를 살펴보자.

친밀한 관계

앞에서 우리는 죄가 우리를 하나님과 멀어지게 하고 원수 되게 한다는 것을 살펴보았다. 죄는 우리와 하나님 사이를 가로막는 장벽이다. 다르게 말하자면, 우리는 온 세상을 심판하시는 재판장의 정당한 정죄(형벌)를 받고 있었다. 그러나 이제는 예수 그리스도께서 우리의 형벌을 지셨고 우리가 믿음으로 예수님과 연합하였으므로 우리는 "의롭게 되었다." 다시 말해서, 하나님께 받아들여졌고 의롭다고 인정을 받았다. 우리의 재판장이 우리의 아버지가 되신 것이다.

"보라 아버지께서 어떠한 사랑을 우리에게 주사 하나님의 자녀라 일컬음을 얻게 하셨는고, 우리가 그러하도다"라고 요한은 기록

그리스도인은 하나님의 자녀이다

했다(요일 3:1). "아버지"와 "아들"은 예수께서 하나님과 자신에게 붙이신 독특한 명칭이다. 그런데 그 이름들을 하나님과 우리 사이에 사용할 수 있도록 예수님이 허용하셨던 것이다. 우리는 예수님과 연합함으로써 예수님과 아버지 사이의 친밀한 관계를 함께 누릴 수 있게 되었다. 3세기 중엽 카르타고의 주교 키프리안은 주기도문에 대한 글 속에서 우리의 특권을 아주 잘 설명하였다.

> 주님은 우리에게 하나님을 아버지라고 부르고 우리 자신을 하나님의 아들이라고 부르며 하나님께 기도하기를 원하셨다. 그런데 그리스도도 하나님의 아들이시다. 따라서 이 이름은, 주님이 직접 우리에게 기도할 때 사용하라고 허락하시지 않는 한 감히 부를 수 없는 이름이다. 이것을 생각해 볼 때 주님의 관대하심은 얼마나 위대한가! 주님의 겸손하심과 우리를 향하신 풍성한 선하심은 또한 얼마나 위대한가!

드디어 우리는 주기도문을 가식 없이 내 것으로 삼아 기도할 수 있게 되었다. 전에는 이 기도가 공허한 것이었지만, 이제는 새롭고도 고귀한 의미를 가지고 울려 나온다. 이제 하나님께서는 진정으로 하늘에 계신 우리 아버지이시다. 그 하나님께서는 우리가 구하기도 전에 우리에게 필요한 것을 아시며, 또한 그 자녀들에게 좋은 것을 어김없이 주시는 분이다(마 6:7–13, 25–34, 7:7–12).

하지만 때로는 주님의 손에 매를 맞아야 할 때도 있다. "주께서 그 사랑하시는 자를 징계하시고 그의 받으시는 아들마다 채찍질하시기" 때문이다. 그러나 이렇게 하실 때에도 하나님께서는 우리를 아들로 대우하시며, 징계하시는 목적도 우리의 유익을 위해서이다. 이렇게 사랑과 지혜와 능력이 넘치는 아버지를 모시고 있기 때문에 우리는 모든 어려움에서 건짐받을 수 있는 것이다(히 12:3–11 참조).

확실한 관계

아들과 아버지의 관계인 그리스도인과 하나님의 관계는 친밀할 뿐만 아니라 확실하기도 하다. 수많은 사람들은 이 관계에 대해 최선을 다해 알기를 원하지만, 원하는 것으로 그치는 것 같다. 그렇다면 분명히 아는 것은 가능할까?

가능한 것 이상이다. 그것은 우리에게 계시된 하나님의 뜻이다. 우리가 하나님과 우리의 관계를 확실히 알아야 하는 것은 우리 마음의 평안과 다른 사람들의 유익만을 위해서가 아니다. 또 다른 중요한 이유는 우리가 확실히 알기를 하나님께서 원하시기 때문이다. 요한은 요한일서를 기록하는 목적이 바로 이것이라고 분명하게 말한다. "내가 하나님의 아들의 이름을 믿는 너희에게 이것을 쓴 것은 너희로 하여금 너희에게 영생이 있음을 알게 하려 함이라" (요일 5:13).

그러나 확실히 알게 된다는 것은 단순히 확실하다고 느끼는 것이 아니다. 신앙생활을 처음 시작한 사람들 대부분이 이런 착오를 범한다. 그들은 자신의 외적인 느낌을 지나치게 의존한다. 그래서 오늘은 하나님과 친밀한 것같이 느끼다가도 다음 날은 다시 하나님에게서 멀어진 것같이 느끼게 된다. 또 그들은 자신의 감정이 자신의 영적 상태를 나타낸다고 생각하기 때문에 불확실의 수렁 속에 빠진다. 이들은 신앙생활의 갈피를 잡지 못해, 의기양양하여 높이 솟았다가는 다시 침울해져서 깊은 절망에 빠지기를 반복한다.

하나님께서는 그 자녀들이 이런 변덕스런 경험을 하는 것을 원하지 않으신다. 우리는 자신의 감정을 의지하지 않는 법을 배워야 한다. 감정은 매우 쉽게 변한다. 날씨나 환경, 또는 건강 상태에 따라서도 수시로 변하는 것이 감정이다. 우리는 변덕스럽고 기분에 좌우되는 종잡을 수 없는 피조물이다. 그러나 대부분의 경우 우리의 감정 변화는 영적 상태와 상관이 없다.

우리가 하나님과 부자 관계에 있다는 것은, 우리의 감정이 아니라 하나님의 말씀으로 알 수 있다. 우리가 스스로에게 적용해야 하는 테스트는 주관적이 아니고 객관적인 것이다. 우리는 영적 생명을 가진 것에 대한 증거를 자신 안에서 찾아 헤매지 말고 위로, 밖으로, 멀리 하나님과 그분의 말씀에서 찾아야 한다. 하지만 우리가 하나님의 자녀임을 확신시켜 줄 하나님의 말씀을 어디에서 찾을 것인가?

첫째, 그리스도를 영접하는 자에게 영생을 주시겠다는 하나님의 약속은 기록된 말씀 안에 있다. "또 증거는 이것이니 하나님이 우리에게 영생을 주신 것과 이 생명이 그의 아들 안에 있는 그것이니라 아들이 있는 자에게는 생명이 있고 하나님의 아들이 없는 자에게는 생명이 없느니라"(요일 5:11-12).

따라서 우리가 겸손히 영생을 가지고 있다고 믿는 것은 외람된 행위가 아니다. 오히려 하나님의 말씀을 믿는 것은 교만이 아니라 겸손이요, 뻔뻔스러움이 아니라 지혜이다. 이것을 의심하는 것은 어리석은 짓이요 죄짓는 행위이다. "하나님을 믿지 아니하는 자는 하나님을 거짓말하는 자로 만드나니 이는 하나님께서 그 아들에 관하여 증거하신 증거를 믿지 아니하였음이라"(요일 5:10).

성경은 하나님의 약속으로 가득 차 있다. 사려 깊은 그리스도인들은 가능한 한 빨리 그 약속들을 머리 속에 저장하기 시작한다. 그래서 낙심과 의심의 수렁에 빠지게 되면 하나님의 약속을 밧줄 삼아 자신을 끌어올릴 수 있다.

다음은 암송해 두어야 할 성구들의 개요이다. 각 성구에는 하나님의 약속이 담겨 있다.

우리가 그리스도께 가면 그는 우리를 영접하신다. 요 6:37.

주님은 우리를 붙드시고 결코 놓지 않으신다. 요 10:28.

주님은 결코 우리를 떠나지 않으신다. 마 28:20; 히 13:5-6.

하나님께서는 우리가 감당할 수 있는 시험만 허락하신다. 고전 10:13.

죄를 자백하면 용서해 주신다. 요일 1:9.

우리가 지혜를 구하면 지혜를 주신다. 약 1:5.

둘째, 하나님께서 우리 마음에 이야기하신다. 다음 말씀을 들어보기 바란다. "성령으로 말미암아 하나님의 사랑이 우리 마음에 부은 바 됨이니"(롬 5:5). "우리는 성령님을 통해 하나님을 '나의 아버지'라고 부릅니다. 바로 그 성령님이 우리 영과 함께 우리가 하나님의 자녀라는 사실을 증거하십니다"(롬 8:15-16, 현대인의성경).

그리스도인이라면 누구나 이것이 무슨 뜻인지 알 것이다. 성경을 통한 성령의 외적 증거는 경험을 통한 성령의 내적 증거로 확증된다. 이것은 깊이가 없고 변하기 쉬운 감정을 신뢰하는 것이 아니다. 오히려 성령께서 우리를 향한 하나님의 사랑을 확신시키고 또 우리가 기도로 하나님을 찾을 때 "아버지"라고 부르도록 격려하심에 따라 마음에 확신이 깊어가는 것을 기대하는 것이다.

셋째, 성경과 경험을 통해 우리가 아들 되었음을 증거하시는 성령께서 우리의 인격을 통해 그 증거를 확고히 하신다. 우리가 하나님의 가족으로 거듭났다면 하나님의 성령이 우리 안에 계실 것이나(내주하실 것이다). 이 성령의 내주하심은 하나님의 자녀들을 구분 짓는 특권이다. "무릇 하나님의 영으로 인도함을 받는 그들은 곧 하나님의 아들이라"(롬 8:14). "누구든지 그리스도의 영이 없으면 그리스도의 사람이 아니라"(롬 8:9).

성령께서 우리 안에 거하시게 되면 그는 곧 우리의 생활 방식을 변화시키기 시작하신다. 요한은 첫 서신에서 이 테스트를 냉정하게 적용하고 있다. 만일 어떤 사람이 하나님의 계명을 불순종하여 형제에 대한 자신의 의무를 등한히 한다면 그가 무슨 말을 한다 해도 그리스도인이 아니라고 요한은 말한다. 의로움과 사랑은 하나님의 자녀임을 표시하는 필수 불가결한 요소이다.

안전한 관계

우리가 하나님과 확실한 관계에 들어갔고 또 그것을 하나님의 말씀으로 확신했다고 치자. 그렇다면 그 관계는 안전한가? 아니면 하나님의 가족으로 태어났다가 거기서 다시 쫓겨날 수 있는가? 성경은 이 관계가 영원하다고 가르친다. 사도 바울은 로마서 8장에서 우리가 하나님의 자녀이면 "하나님의 후사요 그리스도와 함께한 후사"(17절)라고 기록한 후, 그 장 마지막 부분에서 하나님의 자녀를 하나님의 사랑에서 끊을 것이 아무것도 없기 때문에 그들은 영원히 안전하다고 이야기한다.

"그렇지만 내가 죄를 지으면 어떻게 되는가?"라고 묻고 싶을 것이다. "그때에는 내가 하나님의 아들의 자격을 박탈당하여 하나님의 자녀가 안 되는 것이 아닐까?" 결코 그렇지 않다. 인간의 가족을 생각해 보자. 아들이 부모에게 불순종하여 대들었다. 그 집은 어두운 구름으로 휩싸이고, 집안 분위기가 삭막해진다. 부자간의 대화가 끊긴다. 어떤 일이 일어났는가? 이제는 아들이 아버지의 아들이 아닌가? 아니다. 부자 관계는 변하지 않았다. 단지 끊긴 것은 부자간의 교세일 뿐이나. 부자 관계는 출생에 의해 결정되고, 교제는 행동에 의해 결정된다. 그 아들이 부모님께 잘못했다고 빌면 그는 즉시 용서를 받는다. 그리고 용서로 교제가 회복된다. 그러는 동안에도 그들의 관계는 여전하다. 아들이 잠시 동안 불순종하고 배반했지만, 아들은 여전히 아들이다.

하나님의 자녀도 마찬가지다. 우리가 죄를 지어도 하나님의 자녀라는 관계는 변하지 않는다. 다만 우리가 죄를 자백하고 버릴 때까지 하나님과 우리 사이의 교제가 끊길 뿐이다. 그러나 "만일 우리가 우리 죄를 자백하면 저(하나님)는 미쁘시고 의로우사 우리 죄를 사하시며 모든 불의에서 우리를 깨끗하게 하실 것이다"(요일 1:9). "만일 누가 죄를 범하면 아버지 앞에서 우리에게 대언자가 있으니 곧 의로우신 예수 그리스도시라 저는 우리 죄를 위한 화목 제물"(요일 2:1-2)이시기 때문이다. 그러므로 그날그날의 잘못을 해결하기 위해 저녁까지, 또 다음 주일까지 기다려서는 안 된다. 잘못을 했을 경우에는 즉시 무릎을 꿇고 회개하며 겸손히 하나님께 용서를 구해야 한다. 당신의 양심을 늘 깨끗하고 순수하게 유지하는 것을 목표로 삼아야 하는 것이다.

이것을 달리 말하면, 우리는 단 한 번에 의롭게 되지만 매일 용서받을 필요가 있다는 것이다. 예수님은 제자들의 발을 씻겨 주심으로 이것을 보여 주셨다. 베드로는 예수님에게 발뿐만 아니라 손과 머리도 씻겨 달라고 하였다. 그러나 예수님은 이렇게 대답하셨다. "이미 목욕한 자는 발밖에 씻을 필요가 없느니라 온몸이 깨끗하니라"(요 13:10).

예루살렘에서는 만찬에 초대받을 경우 출발하기 전에 먼저 집에서 목욕을 한다. 그래서 초대받은 집에 도착해서는 다시 목욕하지 않는다. 대신 종이 문 앞에서 그를 맞아 발을 씻겨 준다. 이와 같이 우리도 회개하고 그리스도를 믿는 믿음으로 처음 그리스도께 올 때 "목욕"을 하는 셈이다(이 목욕은 의롭다 하심을 얻는 것이고, 외적으로는 세례로 상징된다). 이 목욕은 다시 할 필요가 없다. 그러나 우리는 먼지 가득한 세상을 다니기 때문에 끊임없이 "우리 발을 씻을" 필요가 있다(이것을 매일매일의 죄 사함이라 한다).

그리스도인의 책임

하나님의 자녀가 되는 것은 놀라운 특권이다. 그러나 여기에는 의무도 따른다. 베드로는 이것에 관해 이렇게 기록했다. "갓난 아이들같이 순전하고 신령한 젖을 사모하라 이는 이로 말미암아 너희로 구원에 이르도록 자라게 하려 함이라"(벧전 2:2).

하나님 자녀의 큰 특권은 하나님과의 부자 관계이다. 반면 큰 책임은 성장이다. 누구나 자기 자녀를 사랑한다. 그러나 정상적인 생

그리스도인이 성장해야 하는 영역에는 크게 두 가지가 있다.

첫째, 하나님과 우리 구주 예수 그리스도를 아는 지식이 증가해야 한다

둘째, 하나님께 대한 믿음과 이웃에 대한 사랑

그리고 그리스도를 닮는 일에 진보해야 한다

각을 가진 사람치고 그 자녀가 계속 어린아이로 머물러 있기를 원할 사람은 없다. 그런데 수많은 그리스도인들이 그리스도 안에서 거듭났으면서도 전혀 성장하지 않는다. 어떤 사람들은 영적 소아퇴행증을 앓고 있다.

우리 하나님 아버지의 뜻은 "그리스도 안의 아이"들이 "그리스도 안의 성숙한 자"가 되는 것이다. 출생한 다음에는 성장이 뒤따라야 하는 것이다. 칭의(justification, 하나님께 우리가 받아들여지는 것)의 단계는 반드시 성화(sanctification, 베드로가 "구원에 이르도록 자란다"고 한 것으로 성결함의 성장)의 과정으로 이어져야 한다.

그리스도인이 성장해야 하는 영역에는 크게 두 가지가 있다. 그 첫째는 지식이고, 둘째는 성결이다. 우리가 처음 그리스도인의 생활을 시작할 때는 아는 것이 거의 없다. 단지 이제 막 하나님을 알

게 되었을 따름이다. 그러나 이제는 하나님과 우리 구주 예수 그리스도를 아는 지식이 증가해야 한다. 이 지식은 부분적으로는 지적이고 부분적으로는 인격적이다. 전자에 대해서는 성경 공부는 물론 좋은 기독교 서적을 읽을 것을 권하는 바이다. 지식의 성장을 소홀히 하는 것은 재앙을 초래한다.

또한 우리는 성결 면에서 성장해야 한다. 신약성경 기자들은 하나님께 대한 믿음과 이웃에 대한 사랑 그리고 그리스도를 닮는 일에 진보해야 한다고 말한다. 하나님의 자녀들은 누구나 자기의 인격과 행위가 점점 더 하나님의 아들과 닮게 되기를 갈망한다. 그리스도인의 삶은 의로운 삶이다. 우리는 하나님의 명령을 순종하려고 노력해야 하고 또 하나님의 뜻을 행해야 한다.

성령께서 우리에게 오신 목적 가운데 하나가 바로 이것이다. 성령께서는 우리 몸을 자신의 성전으로 삼으셨다. 그는 우리 안에 계신다. 그래서 우리가 성령의 권위에 순종하고 그의 인도를 따르게 되면, 성령께서는 우리의 악한 욕망을 굴복시키고 그의 열매가 우리 삶에 나타나게 하신다. 성령의 열매는 "사랑과 희락과 화평과 오래 참음과 자비와 양선과 충성과 온유와 절제"(갈 5:22-23)이다.

하지만 성장하는 방법을 모르지 않는가? 영적 성장에는 3가지 비결이 있다. 이것들은 하나님의 자녀들의 책임도 된다.

하나님께 대한 의무

하나님 아버지와 우리의 관계는 안전하지만 정적이지는 않다. 하나님께서는 자녀들이 성장하여 더욱더 친밀하게 자신을 알기를 원하신다. 오랜 세월을 통해서 그리스도인들이 확인한 것은, 이러한 성장의 가장 좋은 방법은 매일 성경 읽고 기도하는 시간을 통해 하나님과 만나는 것이다. 이것은 성장을 원하는 그리스도인이라면 반드시 해야 할 일이다. 오늘날 바쁘지 않은 사람은 없다. 그러나 우리는 어떤 방법으로든지 우선 순위를 조정해서 이 시간을 확보해야 한다. 이것은 혹독한 자기 훈련일 수도 있다. 그러나 이것을 각오하고, 성경과 자명종 시계가 있다면 충분히 해낼 수 있다.

성경 읽기와 기도는 균형 있게 하는 것이 중요하다. 왜냐하면 하나님께서는 성경을 통해 우리에게 말씀하시는 반면, 우리는 기도를 통해 하나님께 말씀드리기 때문이다. 또 성경을 읽을 때는 체계적으로 읽는 것이 좋다. 성경 읽기 방법에는 여러 가지가 있을 수 있다.[1]

성경을 읽기 전에 성령님에게 눈을 열어 주시고 생각을 밝혀 주시도록 기도하라. 그 다음에는 성경을 천천히 묵상하며 세밀하게 읽으라. 본문을 몇 차례씩 반복해 읽으라. 거기서 의미를 찾을 때까지 씨름하라. 현대어로 번역된 성경을 사용하라. 잘 번역된 성경을 구하는 것이 중요하다. 좋은 주석책의 도움을 받을 수도 있다.

그 다음에는 읽은 성경 구절의 메시지를 자신의 환경에 적용시키라. 주장할 약속, 순종해야 할 명령, 따라야 할 본, 피해야 할 잘못

1. 이에 관한 책은 기독교 서점에서 쉽게 구할 수 있다 -편집자 주.

등을 찾으라. 성경을 읽을 때 노트를 준비해서 기록하면 도움이 된다. 무엇보다도 예수 그리스도를 찾으라. 예수 그리스도는 성경의 가장 주된 주제이다. 우리는 성경에 나타난 그리스도를 찾을 수 있을 뿐 아니라 성경 각 장을 통해 그리스도를 개인적으로 만날 수도 있다.

자연스럽게 기도가 따를 것이다. 하나님께서 당신에게 말씀하신 그 주제를 다시 하나님께 이야기 드리는 기도부터 시작하라. 말머리를 돌리지 말라. 만일 하나님께서 그분과 그분의 영광에 대해 말씀하셨다면 하나님께 경배를 드려라. 하나님께서 당신과 당신의 죄에 관해 말씀하셨다면 그것들을 자백하라. 본문에서 어떤 축복을 발견했으면 감사를 드리고, 본문의 교훈을 당신과 당신의 친구들이 배울 수 있도록 기도하라.

당신이 읽은 성경 말씀에 대한 기도가 끝나면 다른 기도를 하고 싶을 것이다. 만일 성경이 당신의 기도에 가장 좋은 도움이라면, 당신이 쓰는 일기는 두 번째 도움이 될 것이다. 아침에는 당신 앞에 있는 그날의 일들을 낱낱이 그리스도께 맡기고, 저녁에는 하루를 돌아보며 지은 죄를 자백하고 받은 축복에 대해 감사하며 그날 만난 사람들을 위해 기도하라.

하나님께서는 당신의 아버지이시다. 하나님 앞에서 자연스럽게 행하라. 담대하고 솔직하라. 하나님께서는 당신과 관계된 모든 일에 관심을 가지고 계신다. 머지않아 당신은 기도해 주어야 할 책임을 느끼는 가족들이나 친구들을 위한 기도표를 만들 필요성을 느끼게 될 것이다. 기도표는 가능한 한 신축성 있게 만들어야 수시로 사람들을 추가하거나 삭제할 수 있다.

교회에 대한 의무

그리스도인의 삶은 당신 개인의 것이 아니다. 만일 우리가 하나님의 가족으로 거듭났다면 하나님께서는 아버지가 되신다. 그뿐 아니라 세상에 있는 다른 그리스도인들은 국적과 교파에 상관없이 그리스도 안에서 형제자매이다. 그래서 신약성경에서 가장 자주 나오는 단어 가운데 하나가 "형제"이다. 이것은 반갑기 그지없는 진리다. 그러나 그리스도의 우주적인 교회의 일원이 된 것으로 충분하다고 생각하면 이 진리는 아무 소용이 없다. 우리는 반드시 어떤 지역 교회에 소속되어 있어야 한다. 대학교나 다른 곳에 있는 그리스도인 단체의 일원이 되는 것으로는 불충분하다(물론 그 단체에서도 열심히 활동하기 바란다). 모든 그리스도인은 지역 교회에 들어가서 거기서 예배와 교제와 증거를 함께해야 한다.

어쩌면 어느 교회에 출석해야 하느냐고 물을지 모르겠다. 만일 어렸을 때부터 다녔거나 근래에 와서 출석하는 교회가 있다면, 정당한 이유가 없는 한 그 교회에 계속 출석하는 것이 현명하다. 이러한 경우가 아니어서 어떻게든 교회를 선택해야 한다면 다음 두 가지 기준을 생각해 보라.

첫째, 목사는 성경의 권위에 충분히 굴복하여 성경에 담긴 메시지를 설명하려고 애쓰며 그것을 실제 생활에 적용시키고 있는가?

둘째, 교회의 회중은 그리스도를 사랑할 뿐 아니라 서로서로와 세상 사람들을 사랑하는 신자의 교제를 하고 있는가?

세례는 그리스도인의 가시적 교제에 들어가는 한 방법이다. 물론 앞에서 보았듯이 세례에는 다른 의미도 포함되어 있다. 따라서 혹시 세례를 받지 않았다면 목사님에게 요청하여 세례를 받아야 한다. 그리고 그리스도인의 교제에 즉시 참여하도록 하라. 처음에는 많은 것이 낯설겠지만 물러서지 말라. 주일 예배 참석은 그리스도인의 분명한 의무이다. 또한 기독교 교회의 대부분이, 주의 만찬 즉 성찬은 중요한 예식으로써 그리스도께서 친히 제정하셨으며 신자들이 서로 교제하며 그리스도의 죽으심을 기념하는 것이라는 데 동의하고 있다.

그렇다고 교제는 주일에만 하는 것이라는 생각을 갖지 않기 바란다. 다른 그리스도인을 사랑하는 일은 생각했던 것과는 달리 새롭고 진실한 경험일 것이다. 그리스도인의 교제는 그 형태나 그 사람의 배경, 나이와는 상관없이 전에 없던 깊은 우정과 상호 이해를 얻게 한다. 그리스도인이라면 가장 가까운 친구는 아마 그리스도인일 것이다. 무엇보다도 그리스도인의 배우자는 반드시 그리스도인이어야 한다(고후 6:14 참조).

세상에 대한 의무

그리스도인의 삶은 가정과 같아서, 그 안에서 자녀들은 아버지나 형제자매들과 교제를 즐긴다. 그러나 한 순간이라도 이것으로 그리스도인의 책임이 모두 끝난다고 생각해서는 안 된다. 그리스도인들은 자기 자신에게만 관심이 있는 독선자들이나 이기적 존재들이 아니다. 그와는 반대로, 그리스도인들은 이웃 사람들에게 깊은 관심을 가져야 한다. 할 수 있는 모든 방법을 동원해 이웃을 섬기는 것은 그리스도인의 소명이다.

기독교 교회는 세상의 궁핍한 자와 소외된 자—가난하고 배고픈 자, 병든 자, 압박과 차별의 희생자, 노예, 투옥된 자, 고아, 난민과 낙오자—들을 위한 박애 사업을 펼쳐 온 귀한 기록을 가지고 있다. 오늘날에도 그리스도를 따르는 전세계 사람들은 그리스도의 이름으로 고통과 재난을 경감시키려는 노력을 하고 있다. 그러나 아직도 손길이 필요한 곳이 엄청나게 많다. 수치스럽지만, 우리는 때로 비그리스도인들이 그리스도를 안다고 주장하는 우리들보다 더 많은 사랑을 베풀고 있음을 고백해야 한다.

그리스도인들이 "세상"—성경에서는 그리스도와 교회 밖에 있는 사람들을 이렇게 부른다—에 대해 갖는 또 다른 특별한 책임이 있는데, 바로 전도이다. "전도한다"는 말의 문자적 의미는 예수 그리스도의 좋은 소식을 퍼뜨린다는 것이다. 아직도 그리스도와 그의 구원을 모르는 수백만의 사람들이 아시아, 아프리카, 라틴 아메리카뿐 아니라 서구 세계에도 널려 있다. 수세기 동안 교회는 거의 잠

자고 있었던 것 같다. 그리스도인들이 깨어나 세상을 그리스도께 인도해야 할 세대가 바로 이 세대가 아니겠는가? 어쩌면 그리스도께서는 당신에게 안수받은 복음 사역자나 선교사의 특별한 사명을 주실지도 모른다. 하지만 당신이 이미 어떤 분야를 공부하고 있는 학생이라면, 성급하게 또는 서둘러서 어떤 일을 하는 것은 아주 좋지 않다. 진지하게 당신의 생애에 대한 하나님의 뜻을 찾아서 거기에 따라야 하는 것이다.

물론 모든 그리스도인이 목사나 선교사로 부름받은 것은 아니다. 그러나 하나님께서는 모든 그리스도인이 예수 그리스도의 증인이 되도록 하셨다. 가정에서나 친구들 사이에서 또는 일터에서, 견실하고 정직하며 겸손하고 사랑을 나누어 주는 등 그리스도를 닮은 삶을 살면서 다른 사람들을 그리스도께로 인도하려고 애써야 하는 것은 그리스도의 엄연한 책임이다. 그는 신중하고 정중하면서도 단호하게 될 것이다.

이 일은 기도를 통해서 시작된다. 한두 명의 친구들에게 특별한 관심을 가지게 해달라고 하나님께 기도하라. 대개의 경우, 성별이 같고 나이가 비슷한 사람을 택하는 것이 지혜롭다. 그 다음에는 그들의 회개를 위해 정기적으로 구체적인 기도를 하라. 그러면서 이 일을 위해 그들과 사귀고, 힘이 들더라도 그들과 함께하는 시간을 가지라. 또한 그들을 진심으로 사랑하라. 그렇게 하면 머지않아 복음을 증거하는 예배나 모임에 데리고 갈 수 있는 기회가 올 것이다. 또는 신앙 서적을 빌려 줄 기회나, 예수 그리스도가 당신에게 어떤 의미가 있으며 어떻게 그를 만났는지를 이야기할 수 있는 기회가 생길 것이다. 그러나 우리 삶이 전하는 것과 다를 경우, 제아무리 멋진 증거를 한다 해도 아무 소용이 없게 된다. 반면에 그리스도께서 변화시키시는 것이 분명한 삶은 아무리 사소한 것이라도 영향력이 있다.

이상의 것들이 하나님 자녀의 중요한 특권과 책임이다. 하나님의 가족으로 태어나서 하늘 아버지와 친밀하고 확실하며 안전한 관계를 즐기는 그리스도인은, 매일 성경 읽기와 기도에 힘쓰고 교회에 충성하며 그리스도인의 봉사와 증거에 적극적이 되려고 노력한다.

이러한 그리스도인의 생활을 말하면 당연히 모든 그리스도인에게 어떤 갈등 같은 것이 생기게 된다. 쉽게 말해서 우리 그리스도인은 두 나라—세상과 천국—의 시민인데, 각 나라는 그 시민들에게 그들이 마음대로 피할 수 없는 어떤 의무를 부과한다.

신약성경은 우리에게 국가, 고용주, 가족, 사회 등에 대한 의무를 강조한다. 따라서 우리가 이러한 실제적인 책임을 피하여 신비주의, 수도원, 또는 세상과 단절된 어떤 그리스도인의 교제에 들어가는 것을 허락하지 않는다.

또 한편으로는, 우리는 세상에서 "나그네와 행인"이며 "우리의 시민권은 하늘에" 있으므로 영원한 본향을 향해 여행하고 있다고 말한다(벧전 2:11; 빌 3:20; 고후 4:16-18 참조). 따라서 우리는 보물을 땅에 쌓아 두어도 안 되며, 이기적인 야망을 가져도 안 되고, 세상 기준을 따라도 안 되며, 현재 생활의 슬픔을 지나치게 중시해서도 안 된다고 한다.

그리스도께로 도피하여 세상을 무시해 버리거나 세상에 빠져서 그리스도를 잊어버리면 앞에서 말한 갈등을 쉽게 해소할 수 있다. 그러나 그 어느 것도 진실한 그리스도인이 택할 해결책이 아니다. 그것은 양자가 모두 그리스도인의 의무를 한두 가지씩 부인하기 때문이다.

성경을 자신의 지침으로 여기는 균형 있는 그리스도인이라면, "그리스도 안"과 "세상 안"에서 동시에 똑같이 살려고 노력할 것이다. 결코 어느 하나만을 택할 수가 없는 것이다. 이것이 예수 그리스도께서 우리에게 요구하시는 제자의 삶이다.

그리스도께서는 우리에게 새 생명을 주려고 죽으셨고 부활하셨다. 그는 그의 영을 우리에게 주셔서 우리가 세상에서 이 삶을 살 수 있게 하셨다.

지금 그리스도께서는 우리가 그를 따를 것과 우리의 모든 것을 남김없이 그를 섬기는 데 바칠 것을 요구하신다.

황을호

- 서울대학교 및 동 대학원 졸업(교육학 박사)
- 유니세프 컨설턴트 역임
- 생명의말씀사 출판국 전무
- 팀수양관 관장
- 서울신학대학교 강사

- 역서 : 창조적인 교회 지도자, 예수체험,
  존 맥스웰의 관계의 기술 등 30여 종